Ulrike Siegel (Hrsg.)

„*Immer regnet es zur falschen Zeit.*"

Bauerntöchter
erzählen ihre
Geschichte

Landwirtschafts**verlag**

INHALT

„Der Apfel fällt meist weit vom Stamm!"

Wie weit kann denn ein Apfel von seinem Stamm fallen? 25 Bauerntöchter gehen mit Geschichten aus ihrem Leben dieser Frage nach. In unterschiedlicher Tendenz wird dabei das Verhältnis „Apfel" – „Stamm", also Wurzeln und Entfernung von ihnen, zum Teil auch Entwurzelung thematisiert. Es geht um das Erleben der Kindheit und um Weichenstellungen im Leben. Um die Entscheidung, entweder wie die Eltern in der Landwirtschaft zu bleiben oder aber einen ganz anderen Weg, zum Teil sehr weit weg vom Hof zu gehen.

Dieser Blick zurück auf die Kindheit und Lebenswelt von Frauen auf Bauernhöfen erzählt nicht nur, wie es einmal war, sondern ist zugleich auch ein Stück Zeitgeschichte und verdeutlicht den Wandel, den die Landwirtschaft in den vergangenen Jahrzehnten durchlaufen hat. Die aktuelle Diskussion um die Agrarwende macht deutlich, wie vielschichtig die Vorstellungen von unserem Leben und Arbeiten in der Landwirtschaft sind. Heile Bauernhofidylle oder umweltverschmutzende Agrarfabrik, eine behütete Kindheit inmitten einer Großfamilie mit Tieren und unendlich Platz zum Spielen oder harte Kindheit geprägt von der Mitarbeit im Stall und auf dem Feld?

Meine eigene Geschichte als Bauerntochter, die Auseinandersetzung mit diesen polarisierenden Vorstellungen weckten in mir den Wunsch mich mit anderen Bauerntöchtern aus meiner Generation auszutauschen. Ich wollte mit anderen Frauen zusammen diesem Bild vom Leben auf den Höfen ein eigenes, von unserem Erleben geprägtes Bild entgegensetzen. Mit meinem 40. Geburtstag im Jahr 2001 habe ich mich auf die Suche nach Frauen gemacht, die ebenfalls auf bäuerlichen Familienbetrieben aufgewachsen sind.

25 Frauen aus den unterschiedlichsten Regionen Deutschlands, die heute weit verteilt in der Welt leben, konnte ich von dieser Idee begeistern.

Was uns verbindet ist, dass wir Ende der 50er/Anfang der 60er Jahre als Bauerntöchter geboren wurden. Zu einer Zeit, die als die große Wachstumsphase in die agrarpolitische Geschichte der Bundesrepublik Deutschland einging – die Zeit des Strukturwandels, welcher in die Spirale des „Wachsens oder Weichens" einmündete. Es war die Zeit der Technisierung und der zunehmenden Arbeitshektik, die Zeit der Aussiedlungen und des Wandels der einstigen Bauerndörfer zu Schlafstätten für Berufstätige aus den Städten.

Die Lebenswege, die vor diesem Hintergrund beschrieben werden, sind wenig spektakulär. Trotzdem sind sie spannend und berührend.

Ich danke allen Frauen, die sich auf dieses Buchprojekt eingelassen haben, für die vielen Gespräche und Briefe in den vergangenen zwei Jahren und vor allem für die Offenheit, mit der sie einen Einblick in ihr Leben gegeben und damit dieses Buch ermöglicht haben.

Mein Dank gilt auch allen, die dieses Projekt mit Rat und Tat unterstützt haben, insbesondere Dr. Roland Gläser für seine kritische Begleitung und meinen Kindern Johannes und Paulina für ihre Geduld.

August 2003
Ulrike Siegel

Bunt wie ein Pfauenauge

*„Es war uns eine Freude, dieses bunte Flattertier
wieder in die Freiheit fliegen zu lassen und
zuzusehen, wie es davongaukelte."*

Ja, ich bin eine Bauerntochter. Vati hatte eine kleine Landwirtschaft in Niederbayern, Mutti einen Edeka-Laden.

Vor allem in meiner Kindheit bin ich oft mit draußen auf dem Feld gewesen. Ich erinnere mich noch intensiv an meine Vorschulzeit, als Hopfenzupfen per Hand noch üblich war und wir für diese Zeit „Gäste", das heißt Helfer, aus dem nahe gelegenen Ort mit Traktor und Anhänger holten. Sie blieben während des Hopfenzupfens bei uns. Plötzlich waren wir eine ganz große Familie: Aus sieben wurden an die zwanzig Personen; ich mochte das sehr gerne.

Mittags durften wir Kinder mit zum Hopfengarten. Auf Blechgeschirr wurden Knödel, Braten und Kraut verteilt. In der ersten Schulklasse – es war das letzte Jahr, in dem unser Vati Hopfen anbaute – zupften meine Zwillingsschwester und ich an einem Nachmittag einen ganzen „Mätzen", das sind achtzig Liter. Dafür gab es „ein Bleche", also eine Münze aus Blech, die am Zahltag eingelöst wurde.

An die rauen Hopfenblätter, die wir mit unseren zarten Kinderhändchen als sehr kratzig empfanden, erinnere ich mich noch genau. Manchmal hatte sich auf deren Rückseite etwas ganz Besonderes verfestigt: ein Hopfenkönig.

Dieses eigenartig geformte bräunliche Ding, die Schmetterlingspuppe, lösten wir vorsichtig vom Blatt, brachten es am Abend behutsam nach Hause und bewahrten es in einem kleinen Zigarrenkistchen auf. Täglich sahen wir nach, ob sich schon was getan hatte, und nach einiger Zeit hatte sich der seltsam geformte Gegenstand tatsächlich, wie durch Zauberhand, in einen prächtigen Schmetterling verwandelt. Ein Pfauenauge, wie Opa uns wissen ließ. Es war uns eine Freude, dieses bunte Flattertier wieder in die Freiheit fliegen zu lassen und zuzusehen, wie es davongaukelte.

Intensiv erinnere ich mich auch noch an die Zeit der „Ahn", wie die Ernte bei uns genannt wurde. Die heiße Zeit im August, in der das Getreide gemäht und das von der Sonne gelb gefärbte Stroh heimgefahren wurde. Eine Zeit mit sehr viel Hitze und Staub, eine Zeit, in der es oft um Minuten ging, um das Stroh vor dem drohenden Abendgewitter noch trocken heim in die Scheune zu bringen.

Meine Tante Rosa sehe ich noch deutlich – als wäre es letztes Jahr gewesen – mit hochrotem Gesicht auf dem hölzernen Anhänger stehen und die Strohbüschel aufeinander stapeln, so dass sie gut verkeilt waren. Schwer beladen wurde der schwankende Wagen vom Feld gezogen – meist keine ungefährliche Heimfahrt über einen steilen Abhang, auf dem der Anhänger eine bedenkliche Schieflage einnahm. Wir hatten oft Angst, dass der Wagen umfallen würde, doch es ging immer gut.

Daheim in der Scheune ging es ans Abladen: Staub, Hitze, Staub. Staub in den Wimpern und den Nasenlöchern, die Luft staute sich, das Atmen fiel schwer. Sich beeilen, um die nächste Fuhre noch trocken heimzubekommen. Die Erwachsenen und auch wir Kinder, die die Stroh-Büschel zum Wagen trugen, waren an der Grenze ihrer Kraft. Genau an diese Situation erinnerte mich meine Mutti vor einigen Tagen, als ich in meinem jetzigen Beruf (ich bin Grafikerin und das seit über fünfzehn Jahren) extremsten Arbeitsstress hatte und an der Grenze meiner Kraft angelangt war: knappste Termine, Zeitdruck, Zwölf-Stunden-Arbeitstage über einige Wochen. „Wir haben uns damals auch sehr plagen müssen, denk dir einfach, es ist Ahn", sagte sie. – Das war mir ein Trost.

Und doch denke ich, es gibt einen Unterschied. Getreide zu ernten und Stroh einzufahren, das im Stall wieder als Streu dient, hat, in der Gesamtheit betrachtet, einen Sinn: wachsen, ernten, davon leben.

Meine jetzige Arbeit, auch wenn sie sehr kreativ sein kann, mir oft Spaß macht, ist doch meist nur das Gestalten von unwichtigem Werbematerial. Noch ein Produkt auf dem übervollen Markt. Oder ist es jetzt mit dem Anbau von Getreide das Gleiche? Überproduktion hier bei uns, obwohl es so viel Hunger auf der Welt gibt. Wie ist es mit dem Stroh? Verwendet das ein effektiv arbeitender landwirtschaftlicher Betrieb überhaupt noch? Vielleicht ist es längst durch topaktuelle, computergesteuerte Stallanlagen überflüssig geworden. Unsere kleine Landwirtschaft hat sich jedenfalls nicht mehr gerechnet. Und so sind unsere Felder nun an größere Bauernhöfe verpachtet.

So war meine Entscheidung für die Grafik eine gute – dem Dorfleben den Rücken kehren und einen ganz anderen Weg gehen.

Etwas Künstlerisches wollte ich machen, etwas Vielfältiges und Buntes – bunt wie die Flügel des Pfauenauges.

Die Geruchskontrolle

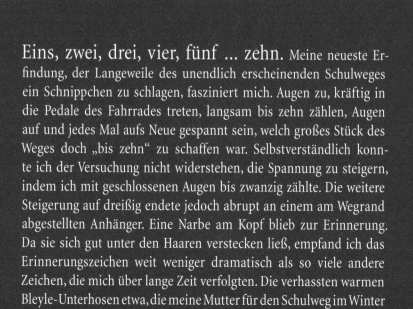

*„ ... da ich zu der Zeit noch nicht
im Stall helfen musste und peinlich genau darauf achtete, dass die
Kleidung meines Vaters niemals in
die geruchsübertragende Nähe zu
meinen Schulkleidern kam. "*

Eins, zwei, drei, vier, fünf ... zehn. Meine neueste Er-
findung, der Langeweile des unendlich erscheinenden Schulweges
ein Schnippchen zu schlagen, fasziniert mich. Augen zu, kräftig in
die Pedale des Fahrrades treten, langsam bis zehn zählen, Augen
auf und jedes Mal aufs Neue gespannt sein, welch großes Stück des
Weges doch „bis zehn" zu schaffen war. Selbstverständlich konnte ich der Versuchung nicht widerstehen, die Spannung zu steigern,
indem ich mit geschlossenen Augen bis zwanzig zählte. Die weitere
Steigerung auf dreißig endete jedoch abrupt an einem am Wegrand
abgestellten Anhänger. Eine Narbe am Kopf blieb zur Erinnerung.
Da sie sich gut unter den Haaren verstecken ließ, empfand ich das
Erinnerungszeichen weit weniger dramatisch als so viele andere
Zeichen, die mich über lange Zeit verfolgten. Die verhassten warmen
Bleyle-Unterhosen etwa, die meine Mutter für den Schulweg im Winter

für unabdingbar hielt, um eventuelle bleibende Nierenschäden prophylaktisch abzuwehren, und die mich in der Umkleidekabine der Sporthalle vor den Augen meiner Mitschülerinnen fast in den Boden versinken ließen. Auch die Zuckerrübenernte im Herbst, die den Weg zu unserem Aussiedlerhof alljährlich wiederkehrend in einen ackerähnlichen Zustand versetzte, hinterließ ihre unübersehbaren Spuren. Selbst wenn ich das Kunststück meisterte, ohne vom Fahrrad zu fallen bis zur Schule zu kommen, waren Hose und Schuhe bis dorthin von feuchter Erde überzogen, die sich in den folgenden Stunden zu einer Kruste verfestigte, um dann unter dem Schultisch langsam abzubröseln.

Damit war für alle sichtbar: Hier sitzt eine Bauerntochter. Dies war für mich ein schmachvolles Etikett, das die Grundschulzeit zu einem einzigen Spießrutenlauf machte. Alle Versuche meiner Mutter mich zu bestärken, dass das Bauerntochter-Sein etwas Besonderes sei und mich eigentlich mit Stolz erfüllen sollte, scheiterten an meinem Grundschullehrer. Er machte keinen Hehl daraus, dass er sich durchaus etwas Besseres hätte vorstellen können, als ein „Dorfschullehrer" zu sein. Ganz offensichtlich hasste er alles, was aus seiner Sicht ein Dorf ausmachte. Und der Inbegriff des dörflich Rückständigen waren für ihn die Bauern. Ich war jeden Tag aufs Neue froh, wenn es mir gelungen war, nicht als Bauerntochter aufzufallen. Die Sauberkeitskontrolle der Fingernägel und die Geruchskontrolle der Kleidung waren für mich noch nicht einmal die schlimmsten Schikanen. Diese Prüfung hatte ich ganz gut im Griff, da ich zu der Zeit noch nicht im Stall helfen musste und peinlich genau darauf achtete, dass die Kleidung meines Vaters niemals in die geruchsübertragende Nähe zu meinen Schulkleidern kam. Unerträglich jedoch waren die Minuten, in denen der Lehrer am Fenster stehend das örtliche Lagerhaus der Genossenschaft im Blick hatte und das Verhalten der Bauern kommentierte. Manches Stoßgebet ging damals zum Himmel: „Lieber Gott, hilf, dass nicht gerade jetzt mein Vater dort auftaucht." Unter diesem zutiefst erschütterten Selbstbewusstsein habe ich meine ganze Schulzeit hindurch still für mich gelitten. Es war mir so peinlich, dass ich zu Hause nie darüber reden konnte und diese Schmach, dem Dorfgesetz der Unantastbarkeit der Lehrer folgend, über mich ergehen ließ.

Meine Mutter war mit Leib und Seele Bäuerin, auch mein Vater hätte sich um keinen Preis vorstellen können, einen anderen Beruf zu ergreifen. Selbst in der Phase, als sehr viele Bauern im Dorf in den Nebenerwerb gingen und von den Fabriken im Umfeld mit offenen Armen aufgenommen wurden, war es für ihn nie eine ernsthafte Alternative zum Bauer-Sein. Stattdessen stellten meine Eltern damals Anfang der sechziger Jahre die Weichen anders und planten von der Hofstelle in der Dorfmitte heraus einen Aussiedlerhof, sowohl an der Gemarkungsgrenze als auch an der finanziellen Grenze. Damit war das Motto für die folgenden Jahre, die Jahre meiner Kindheit und Jugend und die meiner drei jüngeren Schwestern, festgelegt: Arbeiten und Sparen.

Viele Bilder sind mir geblieben.

Mein größter Wunsch war, wenigstens einmal den Feierabend meiner Eltern mitzuerleben. Bei meinen Freundinnen war der Feierabend die Zeit des Tages, auf die alle in der Familie warteten. Ihre Väter waren außerhalb der Landwirtschaft beschäftigt und bewirtschafteten allenfalls am Feierabend noch ein paar Felder oder Weinberge. Überall wurde auf den Feierabend gewartet, darauf, dass der Vater nach Hause kam, um dann noch dieses oder jenes zu tun. Mir war diese offensichtlich so schöne Zeit, auf die sich alle freuten, fremd. Es blieb mir völlig verborgen, wie denn meine Eltern den Feierabend gestalteten. Wir Kinder gingen nämlich immer ins Bett, während die Eltern noch im Stall waren. Die Mutter kam nur kurz, um zu schauen, ob wir unser Abendbrot gegessen hatten, und um mit uns zu beten. Wie habe ich mich gefreut, als es uns ausnahmsweise einmal erlaubt wurde aufzubleiben, um endlich das Mysterium Feierabend zu lüften. In den schönsten Bildern hatte ich mir ausgemalt, was sich alles dahinter verbergen könnte. Mit viel Fantasie hatte ich mit allem, was der Kühlschrank hergab, nämlich Leberwurst, Blutwurst und Essiggurken, ein tolles Feierabendfestessen gerichtet. Was dann folgte, war sehr ernüchternd. Meine Eltern kamen so spät aus dem Stall, dass ich Mühe hatte, bis dahin gegen meine Müdigkeit anzukämpfen. Endlich da, schliefen beide noch am Abendbrottisch ein. So hatte ich mir das nicht vorgestellt.

Das schönste Wetter, das ich mir vorstellen konnte, war strömender Regen, Sturm, Eiseskälte oder Ähnliches. Je schlimmer, desto besser. Kurz: Einfach ein Wetter, bei dem möglichst morgens schon klar war, dass man an diesem Tag das Haus nicht verlassen konnte. Dies waren die Tage, an denen meine Mutter ausnahmsweise zu Hause und nicht irgendwo auf dem Feld oder in den Weinbergen war. Die Tage, an denen ich nicht nach der Schule das Essen aufwärmen und mit meinen Schwestern alleine essen musste. Die Tage, an denen ich nicht im Keller die alltäglichen fünf Körbe Kartoffeln als Schweinefutter von ihren Keimen befreien musste. Dabei habe ich weniger unter den mir aufgetragenen Arbeiten gelitten als unter dem Alleinsein. Die Einsamkeit unseres Hofes war mir unheimlich, und die Anweisungen meiner Eltern keine Tür zu öffnen und niemanden ins Haus zu lassen, verstärkten dies noch und ließen tausend Ängste in meinen Träumen herumgeistern. Außerdem war diese Anweisung völlig unpraktikabel. Meist waren wir Kinder nämlich nicht im Haus, sondern irgendwo im Hof oder Garten und alle Türen standen weit offen. Dies fiel mir immer dann ein, wenn ein Auto auf den Hof fuhr und ich meine Aufgabe darin sah, mit allen Mitteln zu verhindern, dass dieser potenzielle Einbrecher ins Haus gelangte. Mancher Vertreter von irgendeiner Landhandelsfirma hat sich wohl über mein wortkarges und kratzbürstiges Verhalten gewundert.

Im Abstand von zwei, sieben und zehn Jahren wurden meine drei jüngeren Schwestern geboren. Daher musste ich während meiner Schulzeit sehr wenig im Betrieb mithelfen. Meiner Mutter war es lieber, wenn ich zu Hause bis zum Abend die Küche sauber gemacht und meine jüngeren Schwestern versorgt hatte. Das beinhaltete bei meinen beiden jüngsten Schwestern in der ersten Phase das Wickeln und Fläschchen geben und später, als sie größer waren, das Abholen vom Kindergarten, was durch den weiten Weg eine nachmittagfüllende Aufgabe war. Ich war in der ersten Klasse, als ich nach einem schweren Unfall bewusstlos ins Krankenhaus eingeliefert wurde. Meine erste Frage, nachdem ich wieder das Bewusstsein erlangt hatte, war die nach der Uhrzeit. Auf die Antwort, dass es 16 Uhr sei, erklärte ich, dass ich dann schnellstens nach Hause müsse, da meine Schwester jetzt ein Fläschchen brauche.

Trotz aller Arbeit verstanden unsere Eltern es immer wieder, mit ganz einfachen Mitteln den Alltag zu unterbrechen. Unsere Sommerausflüge auf eine unserer Baumwiesen sind mir noch in all ihrer Farbigkeit in Erinnerung. Dort wurde gegrillt und gespielt. Mit unseren Eltern „Faul Ei", eine Variante von Fangen, zu spielen, war das Höchste. An solchen Tagen konnte ich sogar etwas von dem nachempfinden, was meine Mutter wohl gemeint hatte, wenn sie von dem Glück redete, das wir angeblich hatten, so in freier Natur, mit großem Haus, riesigem Garten und Tieren aufzuwachsen. Der Wert einer Baumwiese zum Grillen und „Faul-Ei"-Spielen war tatsächlich unermesslich, wenngleich mir sonst auch ein bisschen weniger Natur um das Haus herum gereicht hätte, und auch auf die Kühe und Schweine mit ihrem verräterischen Geruch hätte ich zuweilen verzichten können.

Erst sehr viele Jahre später, nach der Schulzeit, begann ich mich langsam mit meinem landwirtschaftlichen Umfeld zu versöhnen und es sogar lieb zu gewinnen. Bedingt durch die schwere und aussichtslose Erkrankung meiner Mutter war es für mich nahe liegend, nach dem Schulabschluss zunächst auf dem Hof zu bleiben. Die Aussicht, dass ich nun den ganzen Tag Zeit hatte, um all dies zu tun, was ich bisher neben der Schule schon getan hatte, weckte in mir Feriengefühle. In der Berufsschule war ich plötzlich umringt von Bauerntöchtern. Von Bauerntöchtern, die den elterlichen Betrieb übernehmen wollten. Dreckige Fingernägel waren plötzlich kein Makel mehr, sondern geradezu ein Markenzeichen. Die Lehrer und sogar der Rektor beteuerten um die Wette, welchen Respekt sie vor den Bauernkindern hätten und welch guten Ruf die landwirtschaftlichen Klassen in dieser Schule hätten. Fleiß, Ausdauer, Verlässlichkeit, Verantwortungsbewusstsein, das waren die Attribute, durch die wir überall mit Vorschusslorbeeren empfangen wurden. Dass in dieser Schule viele Klassen aus dem Bankenbereich waren, erfüllte mich mit besonderer Genugtuung. Langsam aber stetig begann sich mein Selbstbewusstsein zu regenerieren. Auf die Frage, welchen Beruf ich denn erlernen würde, antwortete ich mit zunehmendem Stolz, dass ich Landwirtin werden wolle. Selbst Reaktionen darauf wie die, dass ich ja später noch was Rechtes lernen könne, konnten mein Selbstbewusstsein nicht mehr nachhaltig erschüttern.

Der Ehrgeiz hatte mich gepackt. Ich wollte es allen zeigen. Allen, die mich wegen meiner Herkunft verächtlich behandelt hatten. Ihnen wollte ich zeigen, dass Bauern keine stinkenden, rückständigen Trottel sind, sondern die überwiegende Mehrheit schon immer weit davon entfernt war, diesem Klischee zu entsprechen. Und dass sich unter den Bauern und Bäuerinnen, selbst in Stallklamotten, noch mindestens genauso viele Persönlichkeiten befinden wie unter den Menschen in Nadelstreifenanzügen und Designer-Kostümen. Zugegeben, der Zeitgeist kam mir bei diesem Vorhaben sehr zu Hilfe. Die Umweltbewegung in den siebziger Jahren, die Gründung der Grünen ließen in vielen eine Sehnsucht zur Natur erwachen. Und auch ganz ohne mein Engagement ergriffen selbst Anwalts- und Arztsöhne grüne Berufe wie Landwirt oder Gärtner. In der Zwischenzeit haben sich die meisten von denen längst über ein Studium an ein anderes Ufer gerettet, aber nichtsdestotrotz: Das Bild des Bauern in der Öffentlichkeit ist ein anderes geworden.

Ich habe es nie bereut, diesen Beruf ergriffen zu haben. Sicher ist mein Verständnis von der Bewirtschaftung eines Betriebes, mein Verständnis von der Rollenverteilung und überhaupt mein Verständnis von der Arbeit geprägt von dem, was ich in meiner Kindheit und Jugend erlebt und worunter ich oft gelitten habe. Geprägt auch vom frühen Tod meiner Mutter, die so vieles, was sie im Leben außer der Arbeit im Betrieb noch machen wollte, auf die Zeit verschoben hatte, wenn ihre Kinder mal aus dem Gröbsten heraus wären. Sie wurde krank, lange bevor die Kinder aus dem Gröbsten heraus waren, und ihr Leben war zu Ende, bevor sie auch nur etwas von dem machen konnte, wovon sie immer geträumt hatte. Dies war für mich eine solch eindrückliche Erfahrung und Warnung, dass sich für mich daraus der feste Entschluss ergab, all das, was mir wichtig ist, baldmöglichst zu tun und nichts auf später zu verschieben.

Vermutlich habe ich in den Jahren nach ihrem Tod ihre unerfüllten Wünsche gelebt. Ich habe die Ausbildungen im landwirtschaftlichen Bereich mit Meisterprüfungen abgeschlossen. Sie hatte immer darunter gelitten, keinen Berufsabschluss zu haben. Ebenso hatte sie immer wieder davon geträumt, noch etwas von der Welt zu sehen. Ich habe in der Zwischenzeit die Weltmeere schon einige Male überflogen und in Südamerika, Afrika und Indien Praktika gemacht. Erfahrungen, die ich nicht missen möchte und die in der Erinnerung wie Pfeiler am Wegrand stehen. Selbst meinen im Innersten schon immer gehegten Wunsch zu studieren, habe ich im Alter von dreißig Jahren noch verwirklicht. Nachdem meine zwei jüngsten Schwestern beide eine landwirtschaftliche Ausbildung abgeschlossen hatten und sich für eine von ihnen die Möglichkeit bot, unseren elterlichen Hof zusammen mit dem Hof ihres Mannes zu bewirtschaften, habe ich die Gunst der Stunde genutzt und mit einem Studium der Landwirtschaft meine Laufbahn in der praktischen Landwirtschaft beendet.

Obwohl dies nun schon einige Jahre zurückliegt, ist mein Leben noch immer geprägt von dem, was ich erlebt und erlernt habe. Die tiefe Erfahrung durch das Arbeiten mit der Natur ist für mich das Prägendste: das bewusste Leben mit den Jahreszeiten, das ständig wiederkehrende Erleben der Vergänglichkeit, die Erkenntnis, dass das Risiko im Leben nicht auszuschließen, letztlich nicht einmal einzugrenzen ist und selten da ist, wo es vermutet wird, das Wissen und Spüren vom Eingebundensein in größere Zusammenhänge.

Ich denke, all dies hat mir eine tiefe innere Ruhe und die Kraft zum Weiterleben gegeben, als mein Mann kurz nach der Geburt unseres zweiten Kindes starb. Mein Leben ist in so vielem anders verlaufen, als ich es mir vorgestellt und gewünscht habe. Ob es aber damit schlechter ist? Heute kann ich dies verneinen. Ich habe immer versucht, aus jeder Situation das Beste zu machen. Und sicher ist die Lebensschule als Bauerntochter nicht die schlechteste.

Rotkäppchen und der Hof

„Ich habe heute, als Milchviehbäuerin, nie das Gefühl, etwas nachholen zu müssen, und mir fehlt noch nicht einmal ein richtiger Urlaub.“

Der Hof. Eigentlich ist er nur wenig älter als ich. Er liegt ein gutes Stück vor dem Dorf, das schon lange kein Bauerndorf mehr ist. Vom Hof bis zur Kirche lag meine persönliche Bestzeit mit dem Fahrrad bei sieben Minuten. Dort brauchte ich aber zum Aushecheln mindestens bis zum zweiten Gemeindelied. Den Namen Aussiedlerhof hat der Hof jedenfalls zu Recht im Vergleich zu den meisten anderen, die gerade mal einen Katzensprung vom Ortsrand entfernt liegen. Ich bin dort geboren. Eine der letzten Hausgeburten damals. Denn wer nicht von vorgestern war, ging in die Klinik. Wir waren eine „klassische"

Zwei-Kind-Familie, wie sie damals bei modernen Familien üblich war. Selbst die Landsiedlungsgesellschaft, die so viele der charakteristischen Eternit-Aussiedler-Höfe plante, orientierte sich daran.

Eine der wenigen Erinnerungen an diese Zeit ist ein dramatischer Unfall, der heutzutage sicher nicht so glimpflich ausgehen würde; glücklicherweise hatte man damals keine so schweren Kipper wie heute. Wer weiß, ob er ihn sonst überlebt hätte, mein kleiner Bruder. Wir fuhren zusammen auf dem Beifahrersitz des Traktors. Keine hundert Meter vom Hof entfernt bemerkte ich, dass mein dreijähriger Bruder, der neben mir gesessen hatte, nicht mehr da war, und ich machte meinen Vater darauf aufmerksam. Wir fuhren sofort zurück und sahen ihn – er lag da und weinte. Er war heruntergerutscht und vom leeren Anhänger überrollt worden. Außer einer Rippenprellung war er in Ordnung.

Als ich bereits im Schulalter war, wollte ich einmal beim Ankuppeln des Anhängers helfen und hielt die Deichsel unmittelbar vor der Auflaufbremse. Der dann folgende Aufprall schob die Bremse samt meinem kleinen Finger ineinander. Haut, Muskeln und Sehnen wurden gequetscht, liefen blau-gelb-grün an, aber es schien nichts gebrochen zu sein. Ein krummer Finger blieb als Erinnerung zurück.

Der Schulweg war eigentlich gar keiner. Wir wurden in der Grundschulzeit mit dem Auto gefahren und auch wieder geholt. Es war ganz praktisch, dass zwei der Kinder vom Nachbarhof in die gleiche Klasse gingen, so konnten sich unsere Mütter beim Fahren abwechseln. Morgens liefen mein Bruder und ich zum Nachbarhof. Alle vier Kinder setzten sich auf die Rückbank des BMW – Gurte gab es damals noch keine. Bei der Heimfahrt mit meiner Mutter fuhren oft noch zwei oder drei Freunde aus dem Oberdorf mit bis zu ihren Wohnungen. Dann saßen wir neben- und aufeinander wie die Sardinen in der Büchse und waren froh, das letzte Stück des Wegs richtig Platz zu haben. Wenn der Stundenplan sich geändert hatte und die Schule früher aus war, hatten wir zum Glück eine Oma im Dorf. Diese Großeltern hatten auch ihre Landwirtschaft und kümmerten sich vor allem in der Kindergartenzeit viel um uns.

Einmal, als die Schule früher aus war, ging die Nachbarstochter zu ihrer Oma, nur meine war nicht da. „Sicher sind sie alle in den Kartoffeln", dachte ich. Der Acker, der genau auf halber Strecke des Feldwegs zwischen uns und dem Dorf lag, schien mir nicht weit weg zu sein. Also beschloss ich, bis dahin zu laufen. Als ich schon fast dort war, hörte ich ein Auto aus dem Dorf nahen und ich drehte mich um, als es anhielt. Vier Männer saßen darin und sie schienen mich zu kennen. Mir jedenfalls waren sie nicht bekannt und als sie mir vorschlugen, mich mitzunehmen bis zum Hof, war mir das Ganze nicht geheuer. Man hatte mir eingeschärft, in kein fremdes Auto zu steigen und ich bekam langsam Angst, weil mir klar wurde, dass meine Eltern nicht dort waren, wo ich sie vermutet hatte. Geistesgegenwärtig sagte ich dennoch: „Ich muss doch nur noch die paar Meter bis zum Feld laufen, dort arbeiten meine Eltern". Kommentarlos und ziemlich rasant machte sich das Auto davon.

Mein Bruder war nur ein knappes Jahr jünger als ich; wir waren zwar lebhaft, stritten aber kaum miteinander, weil wir die Rollenverteilung schon im Krabbelalter ausgefochten hatten. Die gewaltfreien Erziehungsideale meiner Eltern wurden also nie auf eine ernsthafte Probe gestellt, was ihre Enkel jetzt allerdings nachholen. Scheinbar fehlte es uns auch an der Fantasie, ernsthafte Streiche auszuhecken; wenn es dazu kam, dann eher unfreiwillig, wie bei der Geschichte mit dem Bier.

Mein Vater trank nur sehr selten Bier, so dass das Weihnachtsbier mindestens bis Ostern reichte. Eines Tages stand eine Flasche etwa zu einem Drittel voll noch auf dem Esstisch, während die Eltern beim abendlichen Melken im Stall waren. Mein Bruder wollte mal probieren und nahm einen kräftigen Schluck, obwohl uns Biertrinken ja verboten war. Ich war mir sicher, dass mein Vater den Unterschied in der Flasche sofort bemerken würde, und bestand darauf, das wieder in Ordnung zu bringen. Im Bierkasten in der Speisekammer waren die meisten Flaschen zwar schon leer, aber in vielen war noch ein kleiner Rest, ein „Stomba". Das schütteten wir alles zusammen und schließlich per Trichter in die Flasche. Als mein Vater davon trank, wurde es ihm ganz übel, und er hatte uns auch gleich in Verdacht. So kam alles heraus, aber es gab weiter keine Strafpredigt.

Meine Eltern vertraten die Auffassung, dass die Schule, wenn man sie ernst nimmt, Arbeit genug sei, und drängten uns nie zur Mithilfe im Betrieb. Mein Vater hatte seine Arbeit recht straff organisiert und im Winter und meist auch im Sommer war bereits um sieben Uhr Feierabend. Allerdings drängte es mich immer, freiwillig mitzuhelfen: Kälber mit Milchaustauscher tränken, Getreide schroten und im Sommer mit dem Holzrechen oder später mit dem Schlepprechen das liegen gebliebene Heu zusammentragen.

Mein Vater war einer der Ersten in der Gegend, der eine Hochdruckballenpresse kaufte, und er verdiente jahrelang zusätzlich Geld durch Lohnpressen bei anderen Bauern. Beim Strohpressen wurde meine Hilfe gern angenommen, denn am Vorgewende mussten stets die Ballen beiseite geräumt werden. In der Zeit hatten wir meist selbst Heu zum Einfahren oder Pressen und ich half meiner Mutter beim Schwaden, wobei mir das Von-Hand-Rechen an den Bäumen und Rainen besonderen Spaß machte.

Mein Vater nahm sein Lohnunternehmen sehr ernst – er brauchte auch dieses Nebeneinkommen – und wollte es allen recht machen. Normalerweise hatte er genaue Zeitpläne, in die er das eigene Heu einkalkulierte. Wenn jedoch ein Gewitter am Himmel stand, kamen genau jene Bauern, die eigentlich möglichst spät gepresst haben wollten, und setzten meinen Vater unter Druck, er solle sofort für sie arbeiten. Meine Mutter und ich saßen dann am bereits geschwadeten Feld und warteten und wussten nicht, warum mein Vater nicht kam, sahen die Regenwolken heranziehen und fuhren verbittert nach Hause, wenn es dann tatsächlich regnete.

Ein Problem war damals das Heuen, überhaupt das Arbeiten am Sonntag. Selbst das Futter für die Kühe wurde, als ich noch klein war, am Samstag vorbereitet, meist sogar aufgeladen und in ziemlich schlechtem Zustand am Sonntag abgeladen. Als wir dann doch so langsam anfingen, auch sonntags Gras zu silieren oder Heu zu wenden, vermieden wir es, durchs Dorf zu fahren. Es gab zwei Wiesen, die etwas abseits vom Schuss waren. Sie mussten dann für Sonntagstätigkeiten, mit enorm schlechtem Gewissen, herhalten.

Das Schroten des Getreides – meine ganzjährige Hauptbeschäftigung – war mir scheinbar unterbewusst ein Gräuel, denn fast jede Nacht träumte ich von einem fürchterlichen, menschenfressenden Drachen, der genau an der Schrotmühle stand. Mein Bruder riss sich eh nicht um solche Arbeiten, und bis zu seinem Auszug vom Hof mit achtzehn war ich auch immer darauf aus, ihm Arbeit ab- oder wegzunehmen. Mir war schon mit dreizehn Jahren klar, dass ich Bäuerin werden wollte und dass ich deshalb meinen Bruder davon überzeugen musste, dass es für ihn nichts war.

Als einzige Alternative konnte ich mir damals vorstellen, eine Chirurgenkarriere zu machen, wofür wohl der Film „Dr. Sauerbruch“ verantwortlich war oder die Arbeit unseres Tierarztes, dem ich oft bei Kaiserschnitten zusah. Nach dem Abitur hatte ich noch Entwicklungshelferin als zweiten Traumberuf im Hinterkopf. Als Kinderkirchenhelferin hatte ich mich viel mit dem Thema „Hilfe zur Selbsthilfe“ beschäftigt und dabei das Gefühl gewonnen, dass man nur in Entwicklungsländern wirklich „gebraucht“ wurde. Genau dieses „Fast-unersetzlich-Sein“ war mein Wunsch als Teenager wie auch später. Durch die Arbeit für die Schule und den Hof hatte ich selten Zeit, mich wirklich einsam und isoliert zu fühlen. Wenn es nichts Dringendes auf dem Hof und im Feld zu tun gab, lernte ich für die Schule, was mir letztlich ein ganz passables Abitur bescherte. Ich ging abends nie fort, weil ich in dieser Zeit einfach niemanden hatte, der mich „abgeschleppt“ hätte. An dieser Einsamkeit litt ich zwar, fand aber auch keinen Weg heraus. Das Klavierspielen war mir oft Trost und Freund.

Als ich klein war, galt der Hof, der mit sehr viel Fremdkapital gebaut worden war, als moderner Vorzeigebetrieb. Längst ist klar, dass Anbindehaltung mit zwanzig bis dreißig Kühen im Stall ein Auslaufmodell ist. Seit der Epoche der Hofgemeinschaften versuchen wir als Übergangslösung, den Tieren wenigstens dadurch gerecht zu werden, dass sie den ganzen Sommer über tagsüber oder nachts Weidegang haben. Meinem Vater lag eher der Ackerbau am Herzen, deshalb blieb er auf dem Gebiet technisch einigermaßen auf der Höhe der Zeit. Er verstand auch einfach viel vom Boden und den Bedürfnissen der Pflanzen.

Als ich gerade in die zweite Klasse ging, kauften meine Eltern den ersten Fernseher. Irgendeine Hochzeit im britischen Königshaus war das Erste, was wir anschauten. Seither war Fernsehen aus meiner Kinder- und Jugendzeit nicht mehr wegzudenken. Für meine Eltern begann das abendliche Freizeitprogramm mit der Tagesschau, danach kam leichte Unterhaltung oder Politik und Wissenschaft. Oft, wenn meine Eltern im Stall waren, schaute ich schon mal Filme an, die sie nicht guthießen. Leider lag die Sendezeit von „Raumschiff Enterprise" so ungeschickt, dass ich immer zehn Minuten vor Schluss, wenn die Spannung auf ihrem Höhepunkt war, den Kasten ausmachen musste. Denn um diese Zeit kamen meine Eltern pünktlich aus dem Stall. So trug ich den „Enterprise-Komplex" davon, die stets offene Frage, wie es denn ausgegangen ist. Als ich meinen ersten eigenen tragbaren Fernseher im Studentenwohnheim hatte, schaute ich mir einen Großteil der Wiederholungen an, obwohl mir mittlerweile das Strickmuster dieser Serie recht primitiv vorkam. Inzwischen ist der Fernseher als „Zeiträuber" bei mir zu Hause wieder geächtet und meine Kinder dürfen nur während der Stallzeit bei Oma fernsehen.

In der Verwandtschaft meiner Mutter war es üblich, die Geburtstage groß zu feiern, die Feste konnten es, vom kulinarischen Standpunkt betrachtet, locker mit Weihnachten und Ostern aufnehmen. Da eine der verwandten Familien aus sieben Personen mit fünf hungrigen Buben bestand, wurden pro Festtag etwa drei Torten und zwei bis drei Kuchen veranschlagt. Mit zwölf Jahren bekam ich Lust, die Aufgabe des Tortenbackens zu übernehmen. Ich hatte oft genug mitgeholfen bei Schwarzwälder Kirschtorte, Schokosahnetorte, Schoko-Butterkrem-Torte, Punschtorte, um mit anfänglicher Unterstützung alles selbst zubereiten zu können. Jedes Jahr gab es zwei bekannte Torten und einen neuen Versuch, der allerdings fast durchweg schief ging: Die französische Brandteig-Pudding-Torte verflüssigte sich noch vor Beginn der Kaffeestunde und wurde mit der Suppenkelle verteilt, die Sachertorte war auch beim vierten Backversuch zur Hälfte mit Klitschstreifen versetzt. Aber der Stimmung tat es keinen Abbruch und es blieb kein Krümelchen übrig.

Natürlich waren auch unsere Kindergeburtstage ein absoluter Höhepunkt. Diese zwei Geburtstage rund um die Sommersonnwende hielt meine Mutter absolut frei von Heu-Aktivitäten, damit sie am Kindergeburtstag zu Hause sein konnte. Sie ließ sich immer wieder etwas Besonderes einfallen, wie Miniwürstchen-Grillen über Teelichtern in Kohlköpfen. Und meine Freundinnen konnten es immer kaum erwarten, bis wieder mein Geburtstag war.

Das Ende meiner unbeschwerten Kindheit kam jäh. Bei einer Fahrt mit dem Fahrrad zur Schule zwang mich ein Autofahrer zum Halten. Unfähig zu fliehen, ließ ich die Vergewaltigung über mich ergehen. Ich hatte mein Leben an diesem schönen Sommertag mit seinem überhohen Heugras und den Scharen von Schmetterlingen schon fast aufgegeben, weit und breit keine Hilfe in Sicht. Am Ende war ich wohl noch lebendig, die Schmerzen vergingen, nur die Seele blieb viele Jahre verwundet. Die Polizei ermittelte rasch über die Autonummer den Täter, aber ich musste nun noch einiges überstehen: Ein Protokoll mit unzähligen, detaillierten Fragen, von denen ich viele nicht verstand; Medienberichte, aus denen die Leute im Dorf auch ohne Namensnennung das Opfer herauslesen konnten; Gerichtsverhandlung. Als dies alles vorbei war, verblasste langsam die Erinnerung, die durch den Schock sowieso schon lückenhaft war. Zurück blieben Angst und die Ablehnung unserer Gesellschaft mit ihrer Scheinheiligkeit. Von meinen Mädchen-Freundschaften zog ich mich zurück, aber umso wichtiger wurde mir die Geborgenheit in der Klassengemeinschaft im Gymnasium.

Die Stadtkinder im Gymnasium wussten nichts von meiner Vergangenheit und nahmen mich als die an, die ich war. Mein damals geradezu krankhafter Bewegungsdrang veranlasste mich dazu, die Tafelputzdienste sämtlicher Mitschüler zu übernehmen. Das machte mir einfach Spaß und bewirkte, dass ich bei der Hackordnung innerhalb der Klasse eher in die Kategorie „nicht ganz normal" als in die „Streber" eingeordnet wurde. Unsere Klasse war die zweitschlimmste in der Schule, das lag an drei eigentlich sehr intelligenten Jungs, die ihre Aufgabe in der Schule aber vor allem darin sahen auszutesten, wie man die Lehrer fertig macht und wie weit man welche Lehrerin provozieren konnte, bis sie heulend zum Rektor rannte. Ihren Mut bewunderte ich durchaus, aber mir taten natürlich die Lehrerinnen Leid, auch wenn ich nicht viel dazu sagte.

Als sich im Schullandheim dann einer jener Jungs für mich interessierte, schwebte ich – mit Händchenhalten und so – zunächst im siebten Himmel. Dem Schwebezustand folgte ein harter Bauchklatscher, als ich nach einer Woche durch eine andere Klassenkameradin samt Freundschaftsring ersetzt wurde. Auch mit „Lehrerschreck Nummer zwei" passierte mir Jahre später dasselbe. Da diese Liebe fast ein halbes Jahr währte, war der Verlust umso herber und von tagelangem Weinen allein in meinem Zimmer begleitet. Mein freundschaftlicher Tröster in dieser Situation war die bereits erwähnte „Nummer eins", und es entstand eine ungleiche Freundschaft, die bis heute anhält. Es war die optimale Zweckgemeinschaft: Ich hatte den Führerschein und das ständig verfügbare Auto meiner Eltern zu bieten, er organisierte Karten für Konzerte von Rock bis Klassik und Openairs. Dafür fuhren wir schon mal eine Tankfüllung leer. Nicht zuletzt deshalb war ich sehr traurig, als ich kurz vor meinem neunzehnten Geburtstag das Abitur hatte und befürchtete, die Klassenkameraden zu verlieren. Doch es kam anders.

Mit dem Studium der Agrarbiologie und dem Umzug nach Hohenheim fing mein eigenes Leben erst richtig an und der Kontakt zu meinem Freund, den es nach Tübingen verschlug, blieb erhalten. Später, als wir beide studierten, waren die Besuche in Tübingen immer eine Horizonterweiterung. Das Sammelsurium aus Philosophen, Indologen, Religionswissenschaftlern konnte nicht nur gute Feste feiern, es bestand auch aus sehr sanftmütigen Menschen. Im Gegensatz zu mir schienen sie bisweilen den Bodenkontakt verloren zu haben. Alltägliches war out, die Interpretationen altindischer Schriften oder neuzeitlicher Werke wie die von Tolstoi konnten ganze Abende füllen. Es war eine sehr reiche Zeit. Leider holte mich immer rasch die Realität wieder ein, wenn ich frühmorgens mit wenig bis gar keinem Schlaf an meine Uni nach Hohenheim oder gar zum Heuen heimfahren musste. In dieser Zeit bestand mein Leben aus zwei oder fast drei komplett verschiedenen Welten: der Arbeitswelt zu Hause mit den üblichen Schwierigkeiten, der Studenten-Wohnheim-Welt Hohenheims, wo Gemeinschaft, Freundschaft und Verständnis auf mich warteten, und der Tübinger „Schwebe-Welt". Immer wieder gab es gute Gründe, warum eine Dauerbeziehung nicht möglich war, und meistens hatte es damit zu tun, dass die Jungs sich nicht vorstellen konnten, auf einem mittelprächtigen Hof ihr Dasein zu fristen, und ich mir nicht vorstellen konnte, dass es eine andere Zukunft für mich geben könnte, als Kühe zu melken. Es gab viele kleine und große Abschiede in dieser Zeit, mit mehr oder weniger vielen Tränen und einem ganzen Koffer nicht abgeschickter Briefe voll Liebe, Enttäuschung und Schmerz. Es würde mindestens für ein Dutzend Wochenblatt-Romane reichen, würde man das Ganze aufarbeiten.

Den Anstoß, meinen Entwicklungshilfe-Traum in die Tat umzusetzen, erhielt ich von einem Betreuer. Er machte mich auf studentische Auslandsprojekte aufmerksam; ich bewarb mich, und es verschlug mich nach Mali in Westafrika. Gemeinsam mit einem Studenten aus Bonn namens Robert lebte ich fast zwei Monate lang in einem kleinen Dorf im Sahel und wir erstellten eine Studie über die Integration von Ackerbau und Viehhaltung bei diesem Stamm sesshafter Ackerbauern. Es war mitten in der Regenzeit, als Robert und ich dort ankamen. Die Bauern waren den ganzen Tag mit Säen und Unkrautjäten beschäftigt. Die Ernährung bestand zunächst nur aus Hirsebrei, To genannt, mit Blättersauce, da ja die neue Ernte noch auf den Feldern stand. Die fehlernährten Kinder mit ihren dicken Hirsebäuchen lösten in mir so etwas wie einen Kulturschock aus. Als wir am Ende der drei Monate im Dorf Farakala und in der Kleinstadt Bla wieder in die Hauptstadt Bamako kamen, um heimzufliegen, war ich überrascht, dass es in diesem Land auch Kinder ohne Hungerbauch gab.

Die Frauen im Dorf hatten eine untergeordnete Stellung, die es ihnen nicht erlaubte, bei Mahlzeiten oder Gesprächen mit Fremden wie uns beteiligt zu sein. Daran gewöhnte ich mich rasch, und es ergaben sich mit der Zeit im Alltagsleben viele kleine Begegnungen und einfache Smalltalks mit den Frauen.

Wir machten in drei Dörfern Interviews mit zwölf Bauern und

erfuhren eine Gastfreundschaft, die fast beschämend war. Ich bemühte mich, die Stammessprache zu lernen, aber es reichte nur für das Notwendigste. Für die Studie hatten wir einen Übersetzer, der die Stammessprache ins Französische übertrug. Ich erzählte den Bauern vor den Interviews, wie wir zu Hause Landwirtschaft betreiben, und es entstand immer eine sehr offene Atmosphäre bei den anschließenden Befragungen. Mit der Zeit fühlte ich die weltweite Solidargemeinschaft der Bauern stärker in mir als den Entwicklungshelfer. Ich erkannte, dass sie aus eigener Kraft ein durchaus ausgeklügeltes Agrarsystem geschaffen hatten, das nur wenige Korrekturen benötigte, um die Böden vor Übernutzung zu schützen.

Für unseren Gastgeber, einen Bauern, der uns eine Lehmhütte nebst Verpflegung mit Hirsebrei zur Verfügung stellte, kauften wir mit Hilfe der Projektleiterin Reis, Salz, Trockenfisch und Tomatenmark auf dem Markt in der Stadt. Für die befragten Bauern gab es Cola-Nüsse, eine Droge gegen Ermüdung und Hunger, die bei Männern sehr beliebt war, und für den „dugu-tigi", den Dorfvorsteher, organisierten wir Hirsebier. Wir durften ab und zu auf den Feldern mithelfen, was für mich ein besonders schönes, wenn auch anstrengendes Erlebnis war. Wir holten Wasser am Brunnen, wuschen unsere Wäsche von Hand in einer Kalebassenschüssel und aßen, was die anderen auch aßen. Die Bauern, die wir befragten, beschenkten uns oft mit kleinen Hühnern, die unser Gastgeber dann zubereiten ließ. Ich liebte dieses einfache Leben, aber unser Obst fehlte mir und ich träumte immer wieder von saftigen Äpfeln. Das schönste Erlebnis war schließlich die Baumwollernte, wo immer einen Tag lang alle Frauen bei einem Bauern halfen und ihre schönsten Kleider anlegten. Es gab eine leckere Suppe und einen Hirsebrei, der weniger bitter war als gewöhnlich. Natürlich war ich viel langsamer als die Dorffrauen, aber Zoumana, unser Gastgeber, half mit, damit ich den Anschluss nicht verpasste. Am Abend hatten wir zwei große Haufen Baumwolle beieinander und waren so müde und glücklich wie nie zuvor.

Zum Abschied vom Dorf kauften wir einen Zuchtgockel und ein lebendes Schaf und zehn Kilo Reis. Der Gockel war für die Verbesserung der Hühnerhaltung gedacht, das Schaf sollte für ein

Abschiedsessen geschlachtet werden. Leider war das Dorf Farakala mit zweihundert Bewohnern etwas zu groß für so ein mickriges Schaf und jeder Mann erhielt nur eine winzige Portion Fleisch, und ich ärgerte mich, dass wir nicht zwei Schafe gekauft hatten. Die Stimmung war trotzdem ganz toll; es gab ein seltsames Abschiedsritual, das in einem Ziegenopfer endete. Es war bereits Trockenzeit, als ich abflog, und alles war ausgedörrt und gelb-rot. Als kurz vor Paris das Flugzeug die Wolkendecke durchstieß, lief mir ein Schauer den Rücken hinunter, weil alles so unglaublich grün und fruchtbar war. Von da an wusste ich, dass ich nur Bäuerin sein konnte.

Nach Mali fiel es mir schwer, das Leben in Deutschland wieder aufzunehmen. Der Zeitdruck und die Wichtigtuerei hierzulande schienen mir unerträglich. Dennoch hatte mich irgendwann der Uni-Alltag mit den herannahenden Prüfungen wieder voll im Griff. Meine gute Prüfungsnote in Parasitologie habe ich meinem langjährigen Freund und Wohnheim-Mitbewohner Hans mit seinem berühmten Vorfahren auf diesem Gebiet zu verdanken. Kurz vor der mündlichen Prüfung machten wir einen Probelauf. Und tatsächlich: Mein Professor fragte mir ausgerechnet in Parasitologie Löcher in den Bauch und wunderte sich, dass ich alles so exakt wusste. Schließlich bot er mir einen Tag später eine interessante Diplomarbeit in Ägypten an mit dem Thema Parasiten bei Schafen und Ziegen von Kleinbauern. Ich zögerte noch, schließlich wollte ich ja eigentlich Bäuerin werden und befürchtete, mich nach nochmaligem Auslandsaufenthalt hier nicht mehr einzuleben. Letztlich bewog mich eine Äußerung meines künftigen deutschen Betreuers vor Ort zur Zusage. Er sagte dem Professor und mir, er wolle keine Frauen mehr, weil die sowieso vor lauter Angst keine richtige Arbeit zustande brächten. Das weckte meinen Trotz. Ein gutes Jahr später, nach intensiver Vorbereitung, reiste ich mit meinem Auto per Fähre nach Ägypten.

Die Angst war die ganze Zeit mein Weggefährte, denn nun war ich wirklich allein auf mich gestellt. Glücklicherweise klappte es, dass ein anderer Diplomand mich in Alexandria abholte und wir hintereinander nach Kairo fahren konnten. Dort gab es ein großes Haus im Ingenieursviertel, das ich zunächst allein bewohnen sollte. Mein Arbeitsgebiet lag siebzig Kilometer südlich, also zwei Autostunden entfernt in El Wasta. Aus Sicherheitsgründen durfte ich dort nicht übernachten, obwohl ich einen Wohncontainer als Behelfslabor hatte. Ich hatte nur zwei Monate Zeit, weil ich bis zum Silieren zu Hause sein wollte. Tagsüber befragte ich die Bauern nach ihrer Haltungsform und nahm Kotproben. Nachts wertete ich die Proben auf Parasiten aus. Zweimal schaffte ich es vor Müdigkeit nicht mehr nach Kairo zurückzufahren, und ich legte mich auf eine Klappliege in meinem Laborcontainer, in jeder Hand eine Dose Tränengas. Gebraucht habe ich es Gott sei Dank nicht. Der chronische Schlafmangel zeigte dann ganz am Ende seine Folgen in einer schweren Bronchitis, aber ich war froh so viel erfahren und gefunden zu haben. Die Menschen waren reservierter als in Mali, ich lebte weitgehend mein europäisches Leben.

Es war beschlossene Sache, dass wir mit der Umstellung auf ökologischen Landbau beginnen wollten, sobald ich mit dem Studium fertig war. Im Herbst 1989 – ich war gerade ein Viertel Jahrhundert alt – war es schließlich so weit und wir säten das erste Öko-Getreide. Obwohl wir doch grundsätzlich in die gleiche Richtung schauten, war es ungeheuer schwierig, mit meinem Vater zusammenzuarbeiten. Er konnte alles und wusste vieles, was ich erst noch lernen musste, weil das Studium mir die lebenspraktischen Dinge nicht vermitteln konnte. Ich arbeitete später im Angestellten-Verhältnis mit dem eigenen Aufgabenbereich Milchvieh, aber in der Praxis traf die Entscheidungen immer mein Vater. Meine Nabelschnur nach Hohenheim wurde immer dünner, weil auch die Freunde langsam fertig waren mit dem Studium, und ich begann das Leben auf dem Hof wieder als Enge zu empfinden. Am schönsten war es, wenn Praktikanten im Sommer da waren. In dieser Zeit entstanden Beziehungen zu ausländischen Bauernvertretern über den Dritte-Welt-Arbeitskreis des Evangelischen Bauernwerks, dem ich seit Mali angehörte. So kam es, dass uns drei Filipinos fast eine Woche lang auf dem Hof besuchten und ich mit sechs anderen Gruppenbesuche bei wichtigen Institutionen machte.

Zwei Jahre später, ich litt bereits unter Torschlusspanik, lernte ich einen ungarischen Hochschulpraktikanten kennen und heiratete Zoltan ein halbes Jahr später. Er wollte seine bisherige Tätigkeit beibehalten und nicht auf dem Hof arbeiten. So kramte ich einen alten Wunschtraum aus der Gedächtnisschublade, nämlich eine Hofgemeinschaft zu gründen. Per Annonce fand ich eine passende Familie, die meinen kränkelnden Vater ersetzen sollte. Die sowieso geplante Hauserweiterung wurde forciert. Als ein Jahr später Vroni und Albrecht mit ihren zwei Kindern bei uns einzogen, hatte auch ich gerade meine erste Tochter zur Welt gebracht. Meine Eltern zogen für einige Jahre auf das elterliche Gehöft im Dorf.

Räumliche Enge war angesagt. Jede Familie hatte zwei eigene Zimmer und es gab sonst nur das gemeinsame Esszimmer, in dem wir uns zumeist aufhielten. Vroni führte den Gemüsebau ein und intensivierte die Direktvermarktung im Hofladen. Albrecht baute einen kleinen Schweinestall und verbesserte den Kartoffelanbau und die Aufarbeitung. Es ging voran in diesem Jahr, aber Albrecht hatte sich mehr Gewinn erhofft. Der Umbau war ebenfalls in vollem Gange und kostete zusätzlich Kraft und Nerven. Ich war zum zweiten Mal schwanger, als aus heiterem Himmel für mich die Hiobsbotschaft kam, Albrecht und Vroni wollten nicht bleiben. Ich suchte nach Ersatz. Kurz nachdem die neue Familie mit drei Kindern in die endlich umgebaute Wohnung eingezogen war, kam meine zweite Tochter zur Welt. Meine Ehe kriselte und ein Jahr später trennten wir uns, als Zoltan wieder in seine Heimat zog.

Ein Bekannter von mir stieß ebenfalls zur Hofgemeinschaft. Paul baute die Gemeinschaftsküche zur Backstube um und begann Brot zu backen. Nach vier Jahren sah es jedoch finanziell so schlecht aus, dass die andere Familie ausstieg. Nun sind Paul und ich samt inzwischen vier Töchtern übrig geblieben. Die Arbeitszeit hat sich natürlich ganz gewaltig erhöht, und von manchen Idealen musste ich Abschied nehmen.

Ich habe heute, als Milchviehbäuerin, nie das Gefühl, etwas nachholen zu müssen, und mir fehlt noch nicht einmal ein richtiger Urlaub. Ich habe kein festes Ziel vor Augen, eher meine Idealvorstellungen, die ich so langsam auf die Realität zurechtbiege. Es gilt eher: Der Weg ist das Ziel. Ich möchte ein Leben führen, das möglichst frei ist von Widersprüchen. Oft gelingt es mir nicht, alles gut zu gestalten. So bin ich nur eine mittelmäßige Biobäuerin mit mittlerer Milchleistung und mit einem Haushalt, dem man ansieht, dass er immer an letzter Stelle steht. Was ich an meiner Arbeit besonders liebe, ist, dass ich nicht nur mit vierbeinigen Viechern zu tun habe, sondern auch mit vielen netten Menschen ins Gespräch komme, wenn der Laden mal nicht so voll ist.

Als Mutter bin ich irgendwo zwischen „die Beste" und „die Doofste" anzusiedeln, je nach situationsgebundener Aussage meiner Kinder. Paul bemüht sich, für alle Kinder der Papa zu sein. Freizeit ist für mich die Zeit mit den Kindern. Denn ich habe ganz spät die große Liebe gefunden, die ich immer gesucht hatte: meine vier Kinder.

Blätter wie Elefantenohren

*„Die Vögel singen und ich schaue mit Stolz auf
die Elefantenohren, die ich im Frühjahr
gepflanzt habe. Sie sind so groß wie ich ..."*

Während ich an meinem Computer sitze, fällt mein Blick auf die üppigen lila Blüten der Azaleenbüsche, die hier in Savannah überall blühen. Die vollen dunkelroten Blüten der Kamelienbäume vor meinem Fenster sind schon fast überreif. In ein paar Tagen werden sie welk sein. Die Atmosphäre ist subtropisch schwül. Palmenbäume wechseln sich ab mit riesigen Magnolien und immergrünen, uralten Eichenbäumen, von denen das spanische Moos in langen, schweren Fäden hängt. Ich liebe diese verwunschen anmutende Stadt Savannah in Georgia am südlichen Atlantik genauso sehr wie mein heimatliches Hohenlohe: Herrschaftliche Gebäude im Plantagenstil erinnern an eine glanzvolle Vergangenheit.

Das Leben im „coastal empire", wie diese Gegend hier genannt wird, ist meist gemächlich, besonders im Sommer, wenn die schwüle Hitze wie schweres Tuch tagelang über der Stadt hängt. Heftige Gewitter mit dramatischen Blitzen und kurzen, aber kraftvollen

Regenfällen machen dann einer frischen Brise Platz, die vom nahen Meer kommt. Die in der Mehrzahl dunkelhäutigen Menschen sprechen einen weichen, schwerfälligen Dialekt, der in der Melodie dem heimatlichen hohenlohischen gleicht.

Nicht immer ist es heiß und die Winter hier sind ausgesprochen mild. Diese Jahreszeit mit ihrem wunderbar klaren Licht und den milden Brisen ist ideal für Unternehmungen. Mein Mann Ian und ich machen dann oft lange Radtouren am Strand. Pelikane, die in Kettenformation fliegen, scheinen von uns genauso fasziniert zu sein wie wir von ihnen. Wir radeln unter einer Wolke von aufgescheuchten Möwen und anderen Seevögeln. Es scheint, als gebe es nur uns und die Vögel, aber bei näherem Hinschauen kann man alle möglichen kleinen Meerestiere im seichten, klaren Wasser entdecken. Seesterne tummeln sich hier und verstecken sich vor den hungrigen Möwen, winzige Krebse huschen über den festen dunklen Sand und ab und zu sehen wir eine gestrandete Qualle, die in allen Farben schillert. Oft tauchen plötzlich Delphine auf. Sie schwimmen spielerisch und scheinen den Augenblick genauso zu genießen wie wir.

Wenn ich meinen Dienst antrete und in meiner immer frisch gebügelten Krankenschwesteruniform auf die Schiebetüre des Universitätskrankenhauses zugehe, tut sich eine andere Welt auf. Vorbei ist es mit Gemächlichkeit und Magnolienduft. Eine Welle fiebriger Geschäftigkeit schlägt mir entgegen. Es riecht nach Desinfektionsmitteln. Heute ist die Notaufnahme wie immer zum Bersten voll. Müde aussehende Mütter versuchen schreiende Kinder zu beruhigen und eine alte Frau übergibt sich in der Ecke. Um zu der Station zu kommen, auf der ich arbeiten werde, passiere ich die langen, kühlen Gänge. Ich bin als Springer beschäftigt, jeden Tag woanders. Ich sehe Miss Myrtle und ihren Mann auf dem Flur. Gestern war sie meine Patientin. Sie teilt mir freudestrahlend mit, dass die Geschwulst in ihrem Gehirn gutartig und behandelbar ist. Auch ihr Mann strahlt. Einer meiner Patienten heute ist Richard, ein großer junger Mann, der einen Schlaganfall im örtlichen Gefängnis erlitten hatte, nachdem er vollgepumpt mit Kokain festgenommen worden war. Richard ist fast vollständig gelähmt, kann nicht mehr sprechen und macht ins Bett. Er ist ein schwieriger Patient. Ich sehe die Wut und auch die Hilflosigkeit in seinen Augen. Eine Weile bleibe ich bei ihm, halte seine Hand und streichle seine Wange.

Die Arbeit ist hektisch und hart, aber auch befriedigend und abwechslungsreich. Auch wir haben einen großen Krankenschwesternmangel. Ich bin freie Mitarbeiterin und gehe immer dorthin, wo es am meisten brennt. Die Bezahlung ist sehr gut und ich kann arbeiten, wann ich will.

Nun habe ich frei und liege in meiner Hängematte. Ich schaue zu der riesigen Eiche empor, deren knorrige Äste ein natürliches Dach über den Hintergarten spannen. Es ist schattig und kühl. Kai und Lex, unsere beiden Hunde, liegen unter der Hängematte und schnarchen. Ab und zu zuckt eine Pfote. Ich schaue den flinken Eichhörnchen zu, die sich über mir ein Nest in die Äste gebaut haben. Es ist friedlich. Während ich so fast im Halbschlaf daliege, denke ich an meine Zeit in Amerika.

Amerika. Das war schon immer ein magisches Wort. Mir kommt in den Sinn, wie ich an meinem zweiundzwanzigsten Geburtstag Abschied nahm von meinen Eltern und mich in das Abenteuer Amerika stürzte. Das Abschiednehmen fiel schwer. Ich weinte schon auf dem Flughafen in Deutschland Tränen von Heimweh, war aber zugleich sehr aufgeregt und gespannt auf dieses fremde Land, von dem ich schon so viel gehört und gelesen hatte. Schon als Kind auf dem hohenlohischen Bauernhof war ich fasziniert von anderen Menschen und fernen Ländern. Damals benutzte ich Bücher als ein Gefährt, das mich in Sekundenschnelle in ein exotisches und fremdes Land bringen konnte. „Blauvogel", das Buch von Anna Jürgen, war eines meiner Lieblingsbücher. Ich las so oft die Geschichte von dem amerikanischen Siedlerjungen, der lange Zeit unter Irokesen lebte, dass ich mir selber fast wie ein Indianerkind vorkam und die Rhabarberblätter im heimatlichen Garten zu meinem Dschungel wurden. Meine Mutter erzählte mir später, dass ich schon als Sechsjährige vorhatte, unseren Nachbarn zu heiraten und nach Amerika auszuwandern. Na, mit dem Nachbarn hätte das wohl nicht geklappt, der war ja auch fünfunddreißig Jahre älter als ich, aber das Fernweh packte mich doch.

Ich habe sehr viele schöne Erinnerungen an meine Kindheit als Bauerntochter im Hohenloher Land. Schon damals liebte ich große Bäume. Vier einhundertjährige Kastanienbäume standen auf der gegenüberliegenden Straßenseite. Ich liebte das Rauschen der Blätter, die mich an vielen Abenden in den Schlaf wiegten. Im Frühjahr waren sie ein Meer von weißen, duftenden Kerzen; und im Herbst spielten wir im feuchten, herben Laub. Überhaupt waren die Menschen und Tiere fest eingebunden in den Rhythmus der Jahreszeiten. Jedes Frühjahr wurde gesät und im Garten gepflanzt, es gab immer wieder junge Kätzchen und alles begann zu wachsen und zu blühen. Dann kam das Düngen und später das Heumachen. Im Sommer war dann Erntezeit, Sommerferien, und es gab kalte Mittagessen wegen der Hitze. Sofort ging es mit Riesenschritten dem Herbst zu mit den immer kürzer werdenden Tagen, den vielen bunten Blättern und den Herbstferien. Im Winter waren die Eltern meistens im Haus. Die Tage waren nass und kalt und wir freuten uns schon auf Weihnachten. Eine meiner allerliebsten Kindheitserinnerungen sind die Heiligabende.

Meine Mutter arbeitete meistens in der Küche, aus der immer ein wunderbarer Geruch kam. Es war meistens ein hektischer Tag. Am späten Nachmittag kam mein Vater immer mit einem frisch geschlagenen Tannenbaum. Manchmal hing sogar noch etwas Schnee in den Zweigen. Der Baum glänzte vor Nässe, die Nadeln waren glatt und spitz und der Geruch frisch, würzig und – kühl. Es war fast, als stünde man mitten im kalten, dunklen Wald und nicht in der warmen, gemütlichen Stube. Ich glaube, oft gefiel mir der frische, natürliche Tannenbaum besser als der geschmückte.

Das Jahr über spielten mein Bruder und ich meist draußen. An Puppen war ich nicht interessiert, verbrachte meine Zeit lieber mit unseren vielen Katzen, auch die kleinen Kälber mochte ich sehr. Wir fuhren oft Fahrrad und spielten „Hahhopfe" oder auch Heuhüpfen, wenn man es aus dem Hohenlohischen übersetzt. Einmal wollten wir am Samstagabend noch ins „Hah" hüpfen, nachdem wir schon gebadet hatten. Wir dachten, wenn wir unsere Badehauben aufsetzten, dann würden wir nicht dreckig. Genützt hat das aber nichts. Wir bekamen ein zweites Bad verpasst.

Ich war gerne mit meiner Mutter zusammen. Oft folgte ich ihr überall hin und schaute ihr beim Arbeiten zu, und wir unterhielten uns stundenlang über alles Mögliche. Meistens kam ich erst am frühen Nachmittag von der Schule zurück, nachdem alle anderen schon zu Mittag gegessen hatten. Dann setzte sich meine Mutter sehr oft zu mir, damit ich nicht alleine essen musste, und ich berichtete ihr von meinem Schultag im Künzelsauer Gymnasium.

Wie es in Hohenlohe oft vorkam, lebten mehrere Generationen unter einem Dach. Das ging nicht immer ohne Konflikte ab und ich denke heute, dass ein bisschen Abstand und Freiraum besser ist. Ich komme mit meiner Schwiegermutter recht gut aus, aber mit ihr leben möchte ich nicht. Konflikt wäre da schon vorprogrammiert.

Meine Oma Emma war eine großartige Geschichtenerzählerin. Sie konnte stundenlang von „Gestern" erzählen. Ich bekam nie genug von ihren Geschichten und sie musste die gleichen Anekdoten immer wieder zum Besten geben. Eine meiner Lieblingsgeschichten ist die, als sie 1924, als Vierzehnjährige, nach langem Betteln endlich ein Fahrrad bekam. Sie und ihr Vater holten zwei Räder aus der nächsten Kleinstadt ab. Oma konnte schon Fahrrad fahren, sie hatte es auf dem Rad einer Freundin gelernt, und so fuhr sie voller Freude und Stolz neben ihrem Vater her. Je näher sie dem Dorf kamen, desto langsamer wurde ihr Vater und desto größer wurde der Abstand zwischen ihnen. Sie radelte zurück und fragte ihn, warum er denn so langsam werde und er antwortete ihr: „Weil ich mich schäme, dass du als Mädchen Rad fährst." Meine Oma und ich haben immer recht kräftig über solch einen Unsinn gelacht und auch heute muss ich manchmal schmunzeln, wenn ich daran denke, während ich auf meinem Rad sitze.

Landwirtschaft und Landwirtschaftspolitik waren ein zentrales Thema am Mittagstisch, wenn die ganze Familie zusammen war. Hatten wir Gäste, dann gab es oft hitzige Diskussionen, die ich als Kind sehr liebte. In meiner Kindheit und Jugendzeit sah ich das Bauer-Sein oft mit gemischten Gefühlen. Es war immer klar, dass mein Bruder einmal der Hofnachfolger werden würde. Meine kleine Schwester und ich sollten aufs Gymnasium gehen und eventuell einmal studieren. Ich stellte diesen Plan als Kind nie in Frage und dachte nicht daran, Bäuerin zu werden. Meine Eltern erwarteten keine Mitarbeit von mir auf dem Hof, ich sollte mich auf die Schule konzentrieren. Ich lernte leicht und schnell, die Schule machte Spaß.

Das Leben auf dem Hof gefiel mir. Ich hatte ein inniges Verhältnis zu Tieren und Pflanzen, das habe ich auch heute noch. Körperlich harte Arbeit scheue ich nicht. Ich glaube, ich wäre auch eine recht gute Bäuerin geworden. Mich erstaunte schon als Kind und Jugendliche oft, wie viele Bauern ihren eigenen Stand abwerteten. Meine Eltern waren da eher eine Ausnahme, denn man sah es besonders meinem Vater an, dass er gerne ein Bauer und auch erfolgreich war.

Doch als Jugendliche erschien mir das vertraute Dorf immer enger und enger. Ich fühlte mich oft gegängelt von Traditionen und Sitten, die mir als Kind Stabilität und Vertrauen gegeben hatten. Alles schien vorgeschrieben und ich hasste den Ausspruch: „Was sagen da die Leut!" Fernweh packte mich. Ich hatte vor, bald nach dem Abitur in die Stadt zu ziehen und zu studieren. In diesem Stadium jugendlicher Rebellion erschien alles Fremde viel besser als das Altbewährte.

Als ich achtzehn war, lernte ich meinen ersten Mann kennen, einen Amerikaner. Ich war nicht nur von ihm fasziniert, sondern auch von der fremden Sprache und Kultur. Einige Jahre zuvor waren meine Eltern in Amerika gewesen und hatten seither hemmungslos davon geschwärmt. Ohne mir das reiflich zu überlegen, falls man das in diesem Alter überhaupt kann, entschied ich mich kurz vor meinem zweiundzwanzigsten Geburtstag meinen Amerikaner zu heiraten und mit ihm nach Amerika auszuwandern.

Hin und her gerissen von Abenteuerlust und Heimweh stieg ich ins Flugzeug, um mein neues Leben in Amerika zu beginnen. Allerdings sorgte ich dafür, dass ich immer genügend Geld hatte, um jederzeit einen Flugschein zurück in die Heimat kaufen zu können. Ich flog zuerst nach Kansas City, dort stieg ich um in ein winziges Flugzeug, um zwei weitere Stunden über den Mittleren Westen nach Manhattan, Kansas zu fliegen. Ich saß in der Maschine und schaute freudig, aber auch nervös nach unten. Nichts. Man sah kaum eine Straße, nur ab und zu mal eine kleine Stadt oder eine Farm, dann wieder ganz lange – nichts. Sogar mir Bauerntochter erschien das zu ländlich. Endlich landete ich in Manhattan, Kansas, wo mein zukünftiger Mann auf mich wartete.

Die erste Zeit in Amerika war recht hart. Auf der einen Seite war ich sehr fasziniert von der Weite und Größe des Mittleren Westens. Ich hatte noch nie eine Prärie gesehen und nun erstreckte sie sich scheinbar endlos vor meiner Haustüre. Alles hatte einen Hauch von Wildem Westen, der noch gar nicht so lange vorüber war. Auf der anderen Seite war das Eingewöhnen nicht leicht. Ich hatte Verständigungsprobleme und viele der hier alltäglichen Dinge waren mir unbekannt. Heimweh bekam ich auch bald. Mit dieser Mischung aus Abenteuerlust und Angst machte ich mich auf, Amerika für mich zu erobern. Ich setzte mir jeden Tag ein Entdeckungsziel. Es ging immer besser und die Anfangsängste verschwanden bald.

In den nächsten Jahren lebte ich in Kansas, Philadelphia und Oklahoma und schließlich hier in Savannah, Georgia. Über jede Station ließen sich ausführliche Geschichten erzählen. Besonders ans Herz gewachsen ist mir Oklahoma mit seiner ungeheuren Weite. Der Himmel scheint endlos. Ich traf auch endlich die ersten richtigen Indianer, die mich als Erwachsene genauso beeindruckten wie als Kind. Ich gewöhnte mich an die unkomplizierte, offene Art vieler Amerikaner. Fast alles scheint möglich und machbar. Ich sah viele Menschen, die auf ganz verschiedene Arten lebten. Nichts schien vorgeschrieben oder bestimmt. Mit dreißig fing ich ein Universitätsstudium an, das ich mit wesentlich mehr Reife und Erfolg betrieb als das Studium in Deutschland zehn Jahre zuvor.

Während dieser Zeit trennte ich mich auch von meinem ersten Mann. An diesem Wendepunkt überdachte ich meine Entscheidung in Amerika zu leben sehr bewusst und sorgfältig. Ich war einige Male in Deutschland auf Besuch gewesen und konnte so das eine mit dem anderen vergleichen. Ich entschied mich ganz bewusst für ein Leben in den Vereinigten Staaten. Ich habe in Amerika einfach mehr persönliche Freiheit, als ich sie in Deutschland hätte. Ich besuche die alte

Heimat und vor allem meine Familie gern und oft, aber ich glaube nicht, dass ich dort wieder leben könnte.

So, nun ist es aber an der Zeit, mich aus der Hängematte zu erheben. Zeternde Eichhörnchen, die einen Blue Jay vertreiben, haben mich aus meinem besinnlichen Nachdenken über die letzten fünfzehn Jahre gerissen. Die Vögel singen und ich schaue mit Stolz auf die Elefantenohren, die ich im Frühjahr gepflanzt habe. Sie sind so groß wie ich und ihre dunkelgrünen Blätter sehen fast aus wie, ja eben wie Elefantenohren.

Ian, mein zweiter Mann, kommt bald heim und wir werden zusammen kochen – Schweinebraten und Spätzle.

... und was willst du werden?

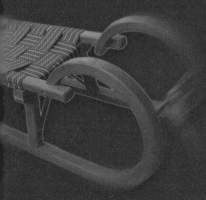

„Der Schnee, der an meinen Stiefeln klebte, fing an zu schmelzen und hinterließ schmutzige kleine Wasserlachen auf dem Stragula-Boden. "

Ungeschickt drückte ich mit dem dicken Daumen des Fausthandschuhs auf die Klingel am verglasten Vorbau des Fachwerkhauses und wartete.

Überall lag Schnee, es war eisig kalt trotz der hellen Nachmittagssonne, die die Augen blendete und dann und wann von einer kleinen Wolke verdeckt wurde. Eine Amsel balancierte auf dem Geländer des riesigen Balkons und hinterließ ein graziöses Muster auf dem reinen Schnee.

Unten am Fuß der Steintreppe stand mein Holzschlitten mit einem alten, zerfaserten Pressseil zum Ziehen.

Hatte ich Vater nicht bitten wollen, mir ein schönes neues Seil zu geben? Ich schämte mich ein wenig, dass ich nicht den Mut gehabt hatte danach zu fragen, aber war es nicht Vergnügen genug, den vereisten Hohlweg am Berg hinabzusausen?

Ich wusste, Vater arbeitete im Holzwald, entfernt konnte man das Brummen der Motorsäge hören, und wenn er nach Hause kam, war er zufrieden, aber auch erschöpft und hatte die Stallarbeit noch vor sich.

Gewiss würde Regine eine abfällige Bemerkung machen über das schäbige Seil und vielleicht auch über meinen geliebten Kaninfellmantel, der dick und warm war, der aber hinten einen „Mutz" hatte, weil meine große Schwester sich daran im Spaß manchmal festhielt, wenn wir den Berg zum Schlittenfahren hochstapften.

Entschlossen wendete ich mich wieder der Haustür zu, zog den Handschuh aus und drückte erneut auf die Klingel. Diesmal konnte ich ein schrilles Läuten hören und kurz darauf kam Frau Stock an die Tür und schloss auf, als sie mich durch das vereiste Glas erkannte.

„Das ist aber schön, dass du uns besuchen kommst", sagte sie freundlich und hielt mir die Tür zum Flur auf.

Wie immer wunderte ich mich darüber, dass Frau Stock die Haustür wieder zuschloss, denn daheim war die schwere Haustür aus Eiche nur nachts verschlossen, und wie oft hätte sie auf- und zugeschlossen werden müssen, wenn die Eltern, meine Tante, die Großmutter, der Knecht Hans und meine Schwester hinein- und hinausgingen.

Ich tappte in den dunklen Flur und fragte: „Wo ist denn Regine? Ich möchte sie zum Schlittenfahren abholen."

Regine hatte mich wohl gehört und kam aus der Tür, die zur Schusterwerkstatt ihres Vaters führte. Ein Schwall warmer, nach Leder und Wachs riechender Luft schlug mir entgegen und ich konnte undeutlich erkennen, dass Regine ein helles, fast sommerliches Kleid anhatte und ihre Haare zu Zöpfen geflochten waren.

„Komm doch in die Küche, dort können wir spielen", sagte sie. In der Küche war es warm und ordentlich, es roch ein wenig nach Rosenkohl vom Mittagessen, aber alles war aufgewischt und auf dem Tisch lag eine frische baumwollene Tischdecke.

Die Handtücher neben der Spüle waren hinter einem wunderschönen Vorhang versteckt, auf dem mit blauem Kreuzstich „Trautes Heim – Glück allein" aufgestickt war.

Frau Stock setzte sich in den Korbstuhl neben dem Fenster und holte aus einem Nähkästchen eine Häkelarbeit heraus.

Regine zog mich in die linke Ecke, wo ein Puppenhaus aufgebaut war. Der Schnee, der an meinen Stiefeln klebte, fing an zu schmelzen und hinterließ schmutzige kleine Wasserlachen auf dem Stragula-Boden. Mir wurde unbehaglich warm in meinen dicken Wintersachen, die langen Haare unter meiner Pudelmütze begannen zu kleben und mein Gesicht lief rot an.

„Wollen wir nicht lieber Schlittenfahren, draußen ist es Klasse", drängte ich sie, obwohl ich wusste, dass Regine meine Worte auf dem Flur gehört haben musste.

Regine nahm eine kleine Puppe aus dem Puppenhaus, als hätte ich nichts gesagt, sah sie kritisch an und flüsterte mir stolz mit einem raschen Blick auf ihre Mutter zu: „Zu Weihnachten bekomme ich eine neue Puppe, so groß wie ein richtiges Baby. Ich hab' sie schon in Mutters Kleiderschrank gefunden."

Verständnislos schaute ich sie an und zischte: „Dann musst du ja im Unterricht bei der Pickenhahn ganz riesige Teile häkeln!" Ich hielt es für einen großen Vorteil, nur eine pummlige Gummipuppe zu haben, die kleiner als mein Schulranzen war. Da ich mit rechts ungeschickt war, fiel mir das Schreiben, vor allem aber das Handarbeiten sehr schwer. Wie groß war meine Enttäuschung gewesen, als ich in der Schule, die gleich neben Stocks Haus stand, nicht mehr mit der linken Hand schreiben durfte. Herr Mielke, unser Lehrer, war sehr streng.

„Wenn ich groß bin, werde ich Schneiderin", verkündete Regine jetzt laut und wechselte einen Blick des Einverständnisses mit ihrer Mutter. „Ich mache dann Kostüme und Spitzenblusen und muss mir die Hände nicht schmutzig machen."

Automatisch sah ich auf meine unbehandschuhte Hand und entdeckte schwarze Ränder unter meinen Fingernägeln. Schnell schloss ich die Hand zur Faust, damit niemand sie sehen konnte.

„Und was willst du werden?", gurrte Frau Stock aus ihrem Stuhl. Blitzschnell schossen mir Bilder durch den Kopf: Wie ich mit Vater abends im Stall vor den Kühen auf dem Heu gesessen hatte, wie er sein blankes Taschenmesser aufgeklappt und wir einen Apfel geteilt hatten, wie ich den roten Kälbchen Milch vorgehalten und sie ungestüm den Eimer ausgetrunken hatten, wie ich im Herbst auf dem

Wagen mit den letzten Kartoffeln gesessen hatte und die Sonne so goldensüß untergegangen war.

Mir fiel ein, wie Vater mich gelobt hatte, dass ich den Traktor bei der Rübenernte schon fahren konnte, und welch friedliche Stille mich bei der Gartenarbeit überkommen hatte. Ich dachte aber auch an lausiges Steinesammeln auf dem Bergacker oder das Stapeln der pieksenden, schweren Strohballen oben auf dem Stallboden bei glühender Hitze.

Frau Stock sah mich lächelnd an, aber entdeckte ich da nicht in ihren Augen eine Spur von Spott? Hatte mir Mutter nicht erzählt, sie hätte von einer Freundin gehört, Frau Stock würde alles, was ich sagte, im Dorf weitererzählen und sich darüber lustig machen? Und hatte Frau Stock nicht ein uneheliches Kind – „und dann noch von einem Amerikaner" –, Regines älteren Bruder Georg?

Plötzlich war ich voller Misstrauen und konnte nicht erzählen, dass ich werden wollte wie mein Vater: ruhig, arbeitsam und froh; dass mir vor allem die Arbeit mit den Tieren gefiel und auch das Schlepperfahren. Nein, hier war Ehrlichkeit fehl am Platz.

„Ich will Lehrerin werden", sagte ich und wählte damit das Zweitbeste, „und jetzt gehe ich Schlittenfahren."

Rosen, Belladonna und Diätsüppchen

„ ‚Julchen‘, sagte ich zu ihm und streichelte zärtlich seinen Hals, ‚Julchen, ein Hoch auf Sulfur, Belladonna und Diätsüppchen‘, und freute mich unbändig.“

Leise pfeifend knallte ich die alte Eichenhaustür zu und eilte im Dunkeln die vereiste Steintreppe hinab. Mit der rechten Hand hielt ich mich am Geländer fest, um nicht auszurutschen und hinzufallen.

Überall lag verharschter, fahl leuchtender Schnee, in dessen Widerschein ich die Umrisse von Wohnhaus, Scheune mit altem Stall und das kleine Nebengebäude erkennen konnte.

Oje – die Glocken der kleinen Kapelle mitten im Dorf begannen zu läuten –, schon halb acht! Ich hatte ein schlechtes Gewissen, weil ich noch eine Viertelstunde am Kaffeetisch mit Mr. Beales' wunderschönem Rosenkatalog sitzen geblieben war, nachdem ich die Kinder mit dem Auto zur nächsten Bushaltestelle gefahren hatte.

Aber welche Genugtuung hatte es mir bereitet, als ich wieder einen Fehler in den Rosenbeschreibungen gefunden hatte. Zu behaupten, die Ramblerrose „City of York", auch bekannt als „Direktör Benschop", wäre dauerblühend, nein, das war falsch, falsch, falsch! Vielleicht sollte ich Mr. Beales noch einmal schreiben und ihn darauf aufmerksam machen? Andererseits war Mr. Beales schon ein älterer Herr, der mir sehr freundlich Mut gemacht hatte, einen Rosengarten nach meinen eigenen Vorstellungen anzupflanzen und vielleicht würde er sich über meine Hinweise nur ärgern.

Inzwischen hatte ich den Keller erreicht, öffnete die Holztür, knipste das Licht an und trat ein. Alle Tische waren vollgestellt mit Buchsbaumkästen, Gipsgießformen und Töpferutensilien, Tennisschlägern, Farbtöpfen, Pinseln und einem großen, ausrangiertem Kissen, von dem aus fünf rot getigerte Katzen mich schläfrig-freundlich anschauten. Chaos und Katzen ignorierend, wandte ich mich nach rechts, wo alte Jacken, unzählige Gummistiefel und Arbeitsschuhe einen würzigen Geruch nach Kühen, Heu und Leder ausströmten. Schnell schlüpfte ich aus den Sommersandalen und bückte mich umständlich in der etwas engen Hose nach den dicken Wollsocken, die von einem Schuhschränkchen herabgefallen waren. Vielleicht sollte ich jetzt nach Weihnachten etwas weniger essen – vielleicht sogar eine Diät machen?

Große Lust hatte ich nicht dazu und verfluchte innerlich eine Gesellschaft, die von einer schwer arbeitenden, einfachen Bäuerin, die theoretisch schon Großmutter sein könnte, erwartete, dass sie noch immer schlank sein sollte.

Oder erwartete ich das etwa selbst?

Entschlossen zog ich die Socken und Gummistiefel und die gefütterte Stalljacke an, steckte die Fausthandschuhe in die Tasche und strich die langen, roten Haare unter den Pullover. Dann ergriff ich den gelben Tränkeeimer, den ich abends neben die Stiefel gestellt hatte, um ihn nicht zu vergessen, und ging über den Hof zur Scheune.

„Soll ich kurz bei dem kleinen Julekalb vorbeigehen und sehen, ob es noch lebt?" Gestern Abend hatte es nicht nur weißen, sondern auch blutigen Durchfall gehabt und hatte mit hochgezogenem, schmerzendem Bauch verzweifelt dagestanden. Mutlos hatte es nur einen Teil des diätetischen Durchfallmittels getrunken, das ich ihm angerührt hatte.

In der Scheune schaute ich im Vorbeigehen kurz in den Ponystall. Leises Schnauben und zufriedenes Kauen waren zu hören und drei kleine Pferdeköpfe hoben sich für kurze Zeit, um zu sehen, wer gekommen war.

Ein Stück weiter, im neuen, hellen Boxenlaufstall standen schon gut zwanzig Kühe im Fressgitter, während hinten vor dem Melkstand die letzten altmelkenden Kühe wiederkäuten. Alle Kühe, besonders aber Rosalie und Petite, fraßen mit großem Appetit Silage, nur Usambara, die eine seltene Vorliebe für Milchreste hat, schlug mit dem schwarzen Kopf auf und nieder, um auf sich aufmerksam zu machen und leckte sich das Maul.

Im letzten Jahr war ich nicht wie gewöhnlich fröhlich, sondern wie heute oft bedrückt und sorgenvoll in den Stall gekommen, weil ich das Gefühl gehabt hatte, als schwebten BSE und Maul- und Klauenseuche wie ein unsichtbares Damoklesschwert über unseren ahnungslosen Tieren.

Mein Vater war nirgends zu sehen und so schlenderte ich, kurz die dicke Mitzi streichelnd, in den voll belegten Melkstand.

Mein Mann Friedrich zog gerade am Melkzeug von Pummel, die halb schlafend und sanftmütig als Erste neben dem Eingang stand. Ich stieg die kurze Treppe hinab und schmiegte mich an Friedrich, während er einen Arm frei machte und um meine Taille legte. „Na, schöne Frau", sagte er neckend, die Baskenmütze verwegen schief auf dem müden Kopf, „wie geht es unseren Kindern?"

Ich lachte ihn an und antwortete: „Oh, Lottchen hat Angst vor dem Zeichenlehrer und Rike hat keine Lust, in die Schule zu gehen."

Tatsächlich hatte Rike heute am Frühstückstisch gequält gesagt: „Mama, ich will nicht mehr in die Schule gehen! Ich weiß gar nicht, warum ich das alles lernen soll." Ich hatte geantwortet, dass eine gute Schulbildung wichtig für einen guten Beruf sei. Ein Beruf, in dem sie genug Geld verdienen würde und viel Freizeit hätte, um reiten und Tennis spielen zu können.

„Ich möchte einfach nur einen Beruf haben, in dem ich mit Pferden arbeiten kann, weil ich Pferde liebe und Geldverdienen ist nicht so wichtig", hatte sie erwidert. „Das habe ich früher auch gedacht", sagte ich und erzählte ihr dann, wie ich nach dem Abitur, den Studienplatz in Göttingen schon in der Tasche, mit einem lachenden und einem weinenden Auge hier zu Hause auf unserem Hof die Landwirtschaft übernommen hatte, weil mein Vater krank geworden war.

Leider mussten wir dann aufbrechen und zur Bushaltestelle fahren, und ich konnte ihr nicht mehr erklären, wie zermürbend die viele tägliche Arbeit sein konnte, wie sehr wir Freizeit und einen langen Urlaub vermissten und wie relativ wenig Geld wir mit unserer kleinen biologischen Landwirtschaft verdienten.

„Du verstehst das nicht", hatte sie abschließend gesagt, „du hast es gut, du kannst jetzt in den Stall gehen, das ist Arbeit, die Spaß macht, aber ich muss jetzt in die doofe Schule."

Friedrich drehte sich nun wieder um und nahm das Melkzeug ab. Gegenüber war auch Jerry fertig geworden und ich fühlte mit der Hand, ob alle Striche des Euters leer waren und hängte dann das Melkzeug auf seine Halterung. „Ich kann Rike verstehen", sagte Friedrich, „vierzehn ist ein schwieriges Alter, da stellt man alles in Frage und außerdem fällt ihr vieles schwer, weil sie so schnell wächst."

Ich nickte zustimmend, hatte aber inzwischen gesehen, dass hinten schon der Melkeimer mit Kolostralmilch von Aljona stand. „Hast du heute schon das Julekalb gesehen?", fragte ich Friedrich. „Nein", meinte er und fuhr optimistisch fort, „ich vermute aber, es geht ihm schon besser, ich habe es gestern Abend als Letztes noch homöopathisch mit Sulfur und Belladonna behandelt." „Hoffen wir's", sagte ich ein wenig bedrückt und mehr zu mir selbst, während ich den schweren Melkeimer mit Milch die Treppenstufen hinaufwuchtete.

Oben schüttete ich kochendes Wasser aus dem roten Topf, der auf der Kochplatte gestanden hatte, in den großen Eimer, stellte einen verzinkten, kleineren hinein und goss ihn und den gelben Tränkeeimer mit Milch voll.

Hatte ich noch Zeit, einen kurzen Blick auf meine Rosenstecklinge zu werfen, die im Geräteraum gleich nebenan standen? Ich knipste das Licht dort an: Oje, „Graham Thomas" hatte alle Blätter fallen lassen und auch „Rambling Rektor" sah zerzaust aus. Mit einer Sprühflasche spritzte ich wild alle Stecklinge nass und machte mich dann auf den Weg zum alten Stall.

Draußen war es merklich heller geworden, aber der Tag versprach verhangen zu werden, und als ich auf der Futtertenne dicht zwischen Silageballen und aufgestapeltem Heu entlang balancierte, sehnte ich mich plötzlich nach sonnendurchfluteten Wiesen, nach dem Geruch von frisch gewendetem Gras und dem Brummen des Schleppers. Im alten Stall angekommen, blökten schon einige Kälber leise zur Begrüßung und keilten voller Lebenslust in ihren Boxen aus. Ich holte tief Luft und rief dann, wie schon mein Vater seit vierzig Jahren: „Mettchen, wie geht's euch?", und ging schnell zu meinem kleinen Patienten. Julekalb stand schon, wenn auch zittrig, die Augen noch matt, aber offensichtlich begierig zu trinken.

„Julchen", sagte ich zu ihm und streichelte zärtlich seinen Hals, „Julchen, ein Hoch auf Sulfur, Belladonna und Diätsüppchen", und freute mich unbändig.

Wunde Beine und wilde Geburtstage

*„Nach solch mühsamen Tagen
waren die Beine aufgeritzt von den
trockenen Halmspitzen, die aus den
Heu- und Strohballen herausragten."*

Denke ich an meine Kindheit, fällt mir immer ganz spontan die Arbeit im Sommer auf den Stoppelfeldern und Wiesen ein. Dort mussten wir Kinder am meisten helfen. Dennoch war es auch sehr schön, im Gras zu liegen und die Wolken zu beobachten, wie sie langsam vorüberzogen und dabei ihre Form und Gestalt veränderten.

Ich wurde an einem sehr kalten Oktobertag im Jahre 1966 als drittes Kind geboren. Mein Vater hat sich damals angeblich sein Rheuma in den Schultern geholt, da er die ganze Nacht im Flur verbrachte, während meine Mutter in den Wehen lag. Eigentlich wollte meine Mutter immer zehn Kinder haben, aber mit fünf gesunden Kindern innerhalb von acht Jahren war sie dann doch vollkommen ausgelastet.

Natürlich war es herrlich, mit so vielen Geschwistern aufzuwachsen. Wir hatten immer jemanden zum Spielen und auch zum Streiten. Unsere Eltern hatten fast nie Zeit für uns. Ich kann mich eigentlich nicht erinnern, dass uns meine Mutter oder mein Vater eine Gute-

Nacht-Geschichte vorgelesen hätten. Dafür hatte unser Großvater etwas mehr Zeit für uns. Wir durften am Sonntagmorgen in sein Bett klettern und hörten gespannt zu, wenn er Geschichten von früher erzählte.

Mit den Großeltern zusammen lebten wir in einem kleinen Fachwerkhaus aus dem 17. Jahrhundert. Teilweise schliefen drei Geschwister zusammen auf einem Zimmer. Aber das hatte auch seine schönen Seiten. So konnte ich mit meiner jüngeren Schwester bis tief in die Nacht hinein kleine Zettel schreiben, die wir an eine Leine geklammert quer durch das Zimmer zogen.

Meine Schwestern und ich mussten schon sehr früh bei der Arbeit im Haus und im Garten helfen, wohingegen meine Brüder eher im Stall bei den Tieren waren und Traktorfahren lernten. Unser Hof war immer voll gestellt mit Traktoren und Maschinen. Wir versuchten das Beste daraus zu machen. Für die anderen Kinder waren der Hof und die Scheune ein richtiger Abenteuerspielplatz. Wir dagegen haben uns eine Wiese um das Haus gewünscht.

Unsere Mutter war mit sechzehn Jahren auf diesen Bauernhof gekommen, der ihrem Onkel und ihrer Tante gehörte. Die hatten ihren einzigen Sohn im Zweiten Weltkrieg in Russland verloren. Er wurde nur siebzehn Jahre alt. Damals war es völlig normal, dass Kinder innerhalb der Verwandtschaft „ausgetauscht" wurden. Und die Kinder selbst waren die Letzten, die dazu um ihre Meinung gefragt wurden. In erster Linie ging es darum, den Hof zu erhalten, um die eigene Altersversorgung zu sichern.

Unser Vater war immer sehr streng mit uns und wollte doch eigentlich nur, dass wir es einmal besser haben sollten als er in seiner Kindheit. Er musste schon mit zwölf Jahren als ältester von drei Brüdern die Felder bewirtschaften, nachdem sein Vater mit einundvierzig Jahren an der russischen Front als vermisst gemeldet worden war.

Unsere Eltern haben den ganzen Tag auf dem Hof, im Stall oder auf dem Feld gearbeitet. Wir Kinder sind irgendwie mittendrin groß geworden.

Die Scheune war der zentrale Arbeits- und Lagerungsort im ganzen Jahr. Zum einen waren hier die Stallungen für das Milchvieh und für die Bullen und zum anderen wurden je nach Jahreszeit die Ernteerträge gelagert.

Im Laufe des Sommers wurde die Scheune nach und nach mit unendlich vielen Ballen aus Heu und Stroh bis unter das Dach voll gesetzt. Das war besonders anstrengend, da jeder Ballen viermal in die Hand genommen wurde. Zuerst mussten wir Kinder die Ballen zusammentragen, damit sie unser Vater auf den Ladewagen gabeln konnte. Dort halfen wir unserer Mutter beim Aufsetzen der Ballen, wobei mindestens sieben Lagen über den obersten Rand des Ladewagens hinausragten. Zu Hause wurden die Ballen wieder auf ein Förderband gelegt, das sie in die obersten Etagen der Scheune transportierte. Die Heu- und Strohballen wurden dann bis in die letzten Schlupfwinkel der Scheune verstaut. Nach solch mühsamen Tagen waren die Beine aufgeritzt von den trockenen Halmspitzen, die aus den Heu- und Strohballen herausragten. In Verbindung mit Wasser und Seife brannte die wunde Haut besonders intensiv, und es dauerte Tage, bis die Beine abgeheilt waren. Aber wie sollte sich die Haut erholen, wenn man am nächsten Tag wieder mit auf das Feld musste. Hinzu kam noch, dass sich die anderen Freunde im Schwimmbad verabredeten, während wir auf dem Feld schwitzten. Das waren mit Abstand die schlimmsten Tage. Da half eigentlich nur die Flucht in eine Traumwelt. Wie herrlich könnte das Leben doch sein, wenn man einem reichen und schönen Mann begegnen würde, der genug Geld hätte, so dass weder ich noch meine Familie weiterhin so viel arbeiten müssten. Warum sollte nicht auch einer Bauerntochter ein Prinz begegnen, wie dem Aschenputtel im Märchen der Gebrüder Grimm. Aber im nächsten Moment war die Seifenblase schon wieder geplatzt, und man musste das Heu zusammenrechen. So ging der Sommer zu Ende, ohne dass man seinen Prinzen gefunden hatte und die Dauerkarte für das Freibad ausnutzen konnte.

Nach den Sommerferien fing das neue Schuljahr mit Schrecken an, wenn im Deutschunterricht ein Aufsatz über die Erlebnisse in den Ferien geschrieben werden sollte. Was hatten wir denn schon Interessantes erlebt?

Dann kam der Spätsommer mit der Getreide-Ernte. Unser Vater

war von frühmorgens bis in die Nacht hinein mit dem Mähdrescher auf dem Feld. Meistens passierte es dann auch noch, dass der Mähdrescher kaputtging und mein Vater ihn stundenlang reparieren musste. Manchmal bewunderte ich ihn, da er nicht nur die Landwirtschaft organisieren musste, sondern auch die Mechanik der ganzen Geräte verstand. Auf dem Hof wurde bis spätabends das Getreide vom Anhänger in die Silos zum Trocknen geblasen. Dabei waren wir Kinder wieder im Einsatz und mussten die Getreidewagen leer fegen. Ein besonders schlimmes Erlebnis war, als sich unser Onkel dabei schwer verletzte.

Meine jüngere Schwester und ich waren auf einem Wagen mit Getreidekörnern und versuchten mit einem Plastikschälchen Marienkäfer einzufangen. Plötzlich verschwand das Schälchen mit den Marienkäfern in der Menge der Getreidekörner. Der Wagen stand schräg und an der Seitenwand war eine Luke offen, durch die das Getreide hinaus in einen Trichter fiel. Mit einer Förderschnecke wurden die Körner hinauf in das Silo transportiert. Wir sahen nur noch, wie das Schälchen durch die Luke verschwand und in dem mit Körnern gefüllten Trichter zu verschwinden drohte. Mein Onkel stand gerade draußen, um aufzupassen, dass nicht zu viele Körner außerhalb des Trichters in den Hof fielen. Als er uns schreien hörte, dass wir das Schälchen verloren hätten, versuchte er es aus dem Trichter zu retten. Dabei griff er direkt hinein, ohne daran zu denken, dass in der Tiefe die Förderschnecke arbeitete. Dann geschah das Schreckliche. Die Förderschnecke hatte plötzlich seine Finger erfasst. Blitzschnell zog er seine Hand aus dem Gewinde der Förderschnecke und sah, dass bei zwei Fingern die ersten beiden Glieder fehlten. Wir Kinder waren so erschrocken und fassungslos, dass wir nur stumm und verängstigt dabeistanden. Mein Onkel dagegen war relativ ruhig – wahrscheinlich stand er unter Schock. Ich kann mich noch sehr gut erinnern, dass er sich selbst ein Handtuch holte, seine Hand damit umwickelte und selbst beim Notarzt anrief. Dann ging alles sehr schnell. Er kam ins Krankenhaus und wurde operiert. Nach einem langwierigen Heilungsprozess konnte er aber wieder in seinem handwerklichen Beruf arbeiten. Er hat uns nie Vorwürfe gemacht, sondern war froh, dass wir Kinder nicht versucht hatten das Schälchen mit den Marienkäfern zu retten.

Im Herbst kam die Erntezeit für Kartoffeln und Futterrüben. Zum Glück hatten unsere Eltern zusammen mit anderen Bauern Erntemaschinen für die Kartoffeln und Futterrüben. In dieser Zeit war immer viel los, denn die Bauern halfen sich gegenseitig bei der Ernte. Wir Kinder mussten meistens auf dem Acker die restlichen Kartoffeln einsammeln. Zu Hause wurden sie dann lose oder in Säcken im Keller verstaut. Eine besondere Attraktion für das Dorf war es, wenn die Kartoffeldämpfmaschine kam. Sie stand abwechselnd auf jedem größeren Bauernhof. Den ganzen Tag über wurden die Kartoffeln gedämpft und anschließend in einem Silo eingestampft. Das war eine sehr heiße und gefährliche Arbeit. Wir Kinder konnten uns tagsüber an den gedämpften Kartoffeln satt essen und mussten abends den Hof reinigen. Manchmal kamen Lehrer mit ihren Schulklassen vorbei, und mein Vater zeigte ihnen die Verarbeitung der Kartoffeln zu siliertem Schweinefutter für den Winter. Die Ernte der Futterrüben war fast gleichzeitig. Die Erntemaschine trennte die Rüben von ihren Blättern, die zunächst wieder auf den Acker fielen. Wir liefen hinter der Erntemaschine her, um heruntergefallene Rüben wieder aufzuheben. Die Blätter wurden anschließend auf Wagen gegabelt und als Futter für die Kühe und Schweine verwertet. Zu Hause wurden die Rüben auf ein Förderband gelegt und in die Kellergewölbe der Scheune transportiert. Wir saßen in dem Keller auf dem Rübenhaufen und verteilten die Rüben bis in die letzten Winkel. Das war besonders anstrengend, weil es immer enger wurde und man tiefer in die Hocke gehen musste. Trotzdem war es auch eine schöne Zeit, denn abends saßen alle, die geholfen hatten, zusammen und feierten die Ernte.

Mein Geburtstag fiel meistens in die Zeit der Rübenernte. Auch wenn Geburtstage im Sommer wegen des schöneren Wetters vorteilhafter sind, so kann ich mich dennoch an herrlich wilde Geburtstagsfeiern erinnern. Wir konnten viele Freunde einladen und durften im ganzen Haus herumtoben. Ich schnitzte für meine Gäste „Dickwurzmännchen" aus den Rüben, in die eine Kerze gestellt wurde. Nach dem Abendessen zogen wir durch die Straßen und hielten unsere leuchtenden Männchen an die Wohnzimmerfenster der Dorfbewohner.

Dann wurde es plötzlich nass und kalt. Der Winter war da. Es war nicht viel zu tun auf dem Hof, außer dem täglichen Helfen beim Füttern und Ausmisten der Ställe von Schweinen, Kühen und Hühnern. Wenn genügend Schnee lag, sind wir den ganzen Tag Schlitten gefahren. An unseren Kleidern und Schuhen war der Schnee festgefroren, und wir kamen erst nach Hause, wenn es dunkel wurde. In der mollig warmen Waschküche tauten wir langsam wieder auf.

Allmählich wurden die Tage länger und wärmer. Der Frühling kündigte sich an. Es begann wieder ein neues arbeitsreiches und spannendes Jahr.

Heute bin ich als promovierte Biologin in dem onkogenetischen Labor einer Universitätskinderklinik tätig und beschäftige mich mit krebserzeugenden genetischen Veränderungen. Zu meine Aufgabengebiet gehört die molekulargenetische Untersuchung von Chromosomen-Translokationen bei Leukämien und Non-Hodgkin-Lymphomen, einer bösartigen Erkrankung des Lymphdrüsen-Systems im Kindesalter. Vor vier Jahren habe ich meinen Mann verloren, der an einer sehr aggressiven Form der Non-Hodgkin-Lymphome erkrankte. Zu dieser Zeit war ich mit unserem ersten Kind im siebten Monat schwanger. Heute frage ich mich oft, woher ich damals die Kraft und Energie hatte weiterzuleben. Vielleicht liegt es auch an der „harten" Kindheit, die meinen natürlichen Selbsterhaltungstrieb und Kampfgeist unbewusst gefördert haben könnte. Mittlerweile lebe ich mit einem neuen Partner zusammen. Wir haben ein zweites Kind bekommen und sind eine richtige Familie geworden.

Der Zettel auf dem Küchentisch

„Den Zettel hatte meine Mutter für mich geschrieben. Die Nachricht war immer die gleiche ..."

Den Zettel, der auf dem Küchentisch lag, wenn ich mittags aus der Schule kam, habe ich nie leiden können. Es bedeutete nichts Gutes, wenn er dalag. Es bedeutete, dass ich alleine zu Mittag essen musste, es bedeutete, dass mein Nachmittagsprogramm anders als geplant verlaufen würde.

Der Zettel auf dem Küchentisch bedeutete im Frühjahr einen Nachmittag auf dem Rübenacker, im Sommer einen Nachmittag in der Heuwiese und im Herbst einen Nachmittag auf dem Kartoffelfeld.

Den Zettel hatte meine Mutter für mich geschrieben. Die Nachricht war immer die gleiche: Essen steht dort und dort, und komm da und da hin, wenn du fertig bist.

Nachdem sich mein Ärger gelegt hatte, kramte ich die Kartoffeln, die zum Warmhalten in der Sofaecke unter einem Kissen standen, hervor und machte mir gewöhnlich ein Rührei dazu.

Meine Hausaufgaben machte ich an solchen Tagen besonders sorgfältig. Wesentlich gründlicher als an anderen Tagen, an denen ich sie immer ruck, zuck erledigt hatte.

Wenn ich mit allem fertig war, ging ich noch auf einen Sprung zu meinem besten Freund und Nachbarn, um unsere Verabredung für den Nachmittag abzusagen. Mit Genugtuung stellte ich dann fest, dass auch er keine Zeit gehabt hätte. Er war potenzieller Hoferbe und schon damals passionierter Schlepper- und Mähdrescherfahrer.

Letztendlich musste ich mich dann doch auf den Weg ins Feld machen. Meistens war es schon recht spät, wenn ich ankam, und jedes Mal wurde ich aufs Neue gescholten, was mir aber nicht viel ausmachte.

Obwohl der Zettel häufig auf dem Küchentisch lag, hatte ich aber immer noch genügend Zeit zum Spielen mit meinen Freunden.

Der Zettel lag auch noch auf dem Tisch, als ich aus der Dorfgrundschule zur Gesamtschule wechselte. Es bedeutete nichts Gutes, wenn er dalag. Es bedeutete, dass niemand, außer dem Wellensittich, zu Hause war und ich alleine zu Mittag essen musste. Es bedeutete wieder, dass sich der Nachmittag anders gestalten würde als geplant. Immer noch bedeutete es im Frühjahr einen Nachmittag auf dem Rübenacker, im Sommer einen Nachmittag in der Heuwiese und im Herbst einen Nachmittag auf dem Kartoffelfeld.

Ich kramte wieder die Kartoffeln aus der Sofaecke und schlug mir ein Ei in die Pfanne. Auch die Hausaufgaben waren erneut „sehr umfangreich" an solchen Tagen.

Etwas hatte sich verändert. Aus dem besten Freund war eine beste Freundin geworden, bei der ich noch unbedingt vorbeigehen musste, um unsere Verabredung für den Nachmittag abzusagen. Mit Genugtuung konnte ich wieder feststellen, dass auch sie keine Zeit gehabt hätte. Sie war aber keine potenzielle Hoferbin und passionierte Schlepperfahrerin und deswegen genauso missmutig wegen der Situation wie ich. Zu jener Zeit hatte gerade ein neues Schwimmbad im Nachbardorf eröffnet, und wir blickten neiderfüllt zu den anderen, die jede Menge Zeit hatten schwimmen zu gehen.

Wenn ich dann letztendlich auf dem Acker oder der Heuwiese ankam, wurde ich wieder gescholten. Aber es machte mir auch da nicht viel aus.

Trotz der Zettel auf dem Küchentisch hatten wir aber immer noch genügend Zeit ins Schwimmbad zu gehen.

Der Zettel lag immer noch auf dem Tisch, als ich von der Gesamtschule in die Oberstufe wechselte. Es bedeutete nichts Gutes, wenn er dalag. Es bedeutete, dass ich alleine zu Mittag essen musste, was mir aber nicht mehr viel ausmachte. Es bedeutete, dass ich mir für den Nachmittag etwas Besonderes einfallen lassen musste, weil ich überhaupt keine Lust hatte, im Frühjahr auf den Rübenacker, im Sommer in die Heuwiese oder im Herbst auf das Kartoffelfeld zu gehen.

Meistens fiel mir auch etwas ein, was ich als Ausrede benutzen konnte. So verbrachte ich den Nachmittag mit einem schlechten Gewissen zu Hause.

Die neue beste Freundin allerdings, der ich telefonisch mitteilte, dass wir unmöglich den Nachmittag zusammen verbringen könnten, da ich mich vor der Arbeit drückte und wenigstens so tun müsste, als würde ich lernen, hätte Zeit für einen gemeinsamen Nachmittag gehabt.

Es gab auch Situationen, in denen mir keine passende Ausrede einfiel, und mein schlechtes Gewissen mich zur Vernunft rief und ermahnte keinen Streit zu provozieren. Dann musste ich mit unseren altertümlichen Vorzeitmaschinen in die Wiese fahren und Heu wenden.

Es war mir unendlich peinlich, wenn genau in diesen Momenten meine Bekannten vorbeikamen und sich über die Situation auch noch lustig machten. Dann wäre ich am liebsten in den Erdboden versunken und hasste die Landwirtschaft über alles.

Trotz der Zettel auf dem Tisch verbrachte ich viele Nachmittage mit meinen Freunden.

Irgendwann, als der Zettel dann nicht mehr auf dem Tisch lag, hat mir offensichtlich etwas gefehlt. Möglicherweise im Frühjahr der Rübenacker, im Sommer die Heuwiese oder im Herbst das Kartoffelfeld.

Ich entschloss mich dazu, Landwirtschaft zu studieren, ohne die Perspektive, unseren kleinen Hof jemals weiterzuführen.

Während des Studiums lernte ich meinen Mann kennen, einen potenziellen Hoferben und passionierten Schlepperfahrer. – Eines tue ich bis heute nicht: Zettel auf dem Küchentisch hinterlassen.

Nichts gesagt ist gelobt genug

„Das Loben ist in unserer Familie keinem leicht gefallen. Das ist etwas, was ich gerne geändert hätte, ..."

Der Apfel fällt meist weit vom Stamm – zumindest während Stürmen. Allerdings gab es bei uns zu Hause keine wilden Stürme, dafür einen starken Apfelbaum. Wohin bin ich nun gefallen, wie weit entfernt vom Stamm liege ich? – Zunächst: Ich bin keine Bäuerin. Denn nicht ich habe den Bauernhof übernommen, obwohl ich als älteste von fünf Töchtern diejenige gewesen wäre, die meine Eltern als Erste gefragt hätten, wenn ich ihnen meine Bereitschaft gezeigt hätte. Und doch empfinde ich, je älter ich werde, dass ich in vielen Lebensbereichen recht nah am Stamm gelandet bin – wobei ich der Meinung bin, dass man nicht nur einmal als Apfel vom Baum fällt, ich finde mich an vielen Stellen unter der Krone wieder, mal näher am Stamm, mal weiter weg. Solange ich als Kind und Jugendliche daheim gelebt habe, gab es keine offen ausgetragenen „Standort"-Diskussionen; die Anordnungen des Vaters, seltener die der Mutter, waren Gesetz. Gemeckert habe ich höchstens heimlich, wahrscheinlich trotzdem auch für die Erwachsenen spürbar. Meine eigenen Standpunkte haben sich erst später herausgebildet – auch heute verändern sie sich noch oft.

Am Ende meiner Schulzeit war ich froh, aus den Worten meiner Mutter herauszuhören, dass ich nicht unbedingt Landwirtschaft oder Ähnliches studieren müsse, denn zu dem Zeitpunkt war es mein Hauptziel, von dem mühevollen Leben auf dem Bauernhof und von meinem Vater wegzukommen. Irgendwohin, egal wohin; ein eigenbestimmtes Leben ausprobieren, was auch immer das heißen mochte. Kurz: Flucht vor allem und jedem. Ein Stück weit fiel die Entscheidung auch aus Trotz: Diesem Herrn Hoftierarzt, der von Frauen in seinem Beruf nichts hielt, diesem stets und selbstverständlich Leistung fordernden Vater, ohne Anerkennung und Lob dafür zu gewähren („nix gsait isch globt gnug"), wollte ich es zeigen. Das kann ich auch. Ich werde Tierärztin in der Großtierpraxis.

Ich habe es auch geschafft – das Studium, die Promotion. Doch geworden bin ich eine Bürokraft mit mühsam erworbenem Minimalwissen, eine Putzfrau mit Doktortitel, eine Vögel und Kaninchen behandelnde Miniteilzeit-Tierärztin mit Großfamilie. In der Zwischenzeit lebe ich mit dieser Kombination ganz gut, denn in der Hauptsache bin ich Familienfrau, Ehefrau eines Rinderpraktikers, ehrenamtlich in vielen Bereichen tätig – und nachts ausreichend müde. Ich habe nämlich ungeplant schon während des Studiums den „Grundstein" für meine Familie gelegt und es dann gerade noch fertig gebracht, nach dem Studium und vor dem zweiten Kind wenigstens einmal wirklich selbstständig Geld zu verdienen. Dann kam ich in die „familienvergrößernde" Phase – zwei Söhne und drei Töchter. Ein Stück weit ist jetzt noch die Mitarbeit in dem Unternehmen Tierarztpraxis nötig, aber die praktische Tätigkeit als Tierärztin im Stall bleibt die große Ausnahme.

Wie früher auf dem Hof die Mitarbeit von uns Kindern benötigt und eingefordert wurde, bin auch ich heute der Meinung, dass meine Kinder mit anpacken können – im Haushalt, beim Telefondienst, dem Versorgen der Haustiere, dem Aufpassen auf die Kleineren. Das ist absolut nicht zu vergleichen mit dem Helfen im Stall, beim Misten und Füttern, bei der Heu- oder Getreideernte, beim Stallbau, beim Putzen und Kochen. Heute ist mir im Gegensatz zu damals klar: Ohne diese Mithilfe geht es nicht, ist ein Betrieb und das Familienleben nicht zu bewältigen.

Doch damals hat mich der ständige Arbeitseifer meist nur gestört. Ich erinnere mich noch gut, dass meine Mutter, weil die Zeit tagsüber nicht ausreichte, nachts noch Flur, Küche und Waschküche gekehrt und gewischt hat – während ich bei offener Zimmertür heimlich im Licht der Flurlampe gelesen habe. Die „Sonntagsstube", das Wohnzimmer, musste von uns Kindern wöchentlich abgestaubt und der Teppich gesaugt werden, obwohl im Normalfall die ganze Woche keiner drin war, außer zum Klavierspielen. Wenn wir Kinder frei haben wollten, war es wichtig, aus dem Blick- und Hörfeld der Eltern zu verschwinden oder so zu tun, als müsse man lernen. Außer dem kurzen Mittagsschlaf unseres Vaters, wenn es die Arbeit zuließ, oder dem Erschöpfungsschlaf unserer Mutter sonntags mittags am Tisch, hatten die Eltern keine für uns erkennbare Freizeit. Dieses Gefühl, es gibt immer etwas zu tun, sei es aufzuräumen oder etwas herzurichten, überhaupt das Empfinden, freie Zeit sei nur „gestohlene" Zeit, hat sich mir als Kind und auch noch als Jugendliche tief eingeprägt. Träumen kann man neben der Arbeit, zum Beispiel beim Misten oder Rechen. Nur faul im Sessel sitzen – dafür gibt es keine Zeit. So verrückt es klingen mag, diese Vorstellung, es muss ein aufgeräumtes Zimmer für unerwarteten Besuch geben, saubere Extrasonntagskleider, gebügelte Arbeitshemden; die Wohnung muss perfekt geputzt sein fürs Familienfest, obwohl die Nächte von Kleinkindern und klingelnden Telefonen unterbrochen wurden, das war noch lange die Messlatte für meine Ansprüche an meinen eigenen Haushalt. Heute bin ich viel gelassener gegenüber dem Moloch „Großfamilienhaushalt mit selbstständig arbeitendem Ehemann", bin gerne aushäusige Ehefrau und habe garantiert die zehnfache Menge an „Kruschtecken" wie meine Mutter, abgeschiedene Orte, wo ich mich nur um das kümmere, was mir lieb und teuer ist. Meine Lesestunden stehle ich mir einfach.

Früher habe ich die seltenen Abende genossen, an denen ich heimlich fernsehen konnte, weil der Vater in der Gemeinderatssitzung und die Mutter im Kirchenchor war. Heute genießen meine Kinder diese Freiheiten sicher ebenso. Mein Vater war viele Jahre lang sehr aktiv in der Kommunalpolitik, meine Mutter in der Kirchengemeinde. Als Jugendliche habe ich nie verstanden, warum mein Vater trotz der in meinen Augen unmenschlich harten Arbeit auf dem Hof abends noch zu Sitzungen ging, warum ihm das Mitgestalten der Gemeindepolitik so wichtig war. Er hat mit uns Kindern auch nie darüber gesprochen. Heute bin ich selbst in verschiedenen kirchlichen Gremien – und ertappe mich oft dabei, dass auch ich nicht mit meiner Familie debattiere, sondern beim Arbeiten mit Blumen, Putzeimer oder Bügeleisen diskutiere und streite. Ich glaube, dass auch mein Vater die langen Fahrten auf dem Traktor oder Mähdrescher für dieses Nachdenken genutzt und gebraucht hat. Für mich sind diese Ehrenämter eine Möglichkeit, mich in meiner neuen Heimat einzugliedern und mich nicht wie eingesperrt zu fühlen in meinen eigenen vier Wänden. Erst als ich in Kindergarten, Schule oder jetzt Kirchengemeinde mitgearbeitet habe, fühlte ich mich nicht mehr fremd und nur als „Zugereiste". Oder auch das Singen im Chor – es bedeutet für mich zum einen Gemeinschaft mit anderen Menschen, zum anderen Herauslösen aus dem Alltag und zeitweiliges Vergessen aller Problemchen. Ich denke, meiner Mutter ging und geht es genauso.

„So ein gutes Zeugnis ist doch selbstverständlich und kein Lob wert." Diesen Satz, den mein Vater nach dem Abitur zu meinem Lieblingslehrer sagte – ich stand hinter der Hecke und hätte es sicher nicht hören sollen –, werde ich wohl nie vergessen. Das Loben ist in unserer Familie keinem leicht gefallen. Das ist etwas, was ich gerne geändert hätte, aber ich ertappe mich dabei, dass auch ich es oft bei meinen Kindern versäume.

Auf der anderen Seite kann ich aber die Grenzen und Zäune, die mich als Jugendliche so gestört haben, heute als Ansporn und

Richtpfosten sehen. Um diesen Stamm, an dem ich mich gerieben und manchmal wund gescheuert habe, mit dem ich mich gemessen habe, von dem ich abgerückt bin, um diesen starken Herausforderer, die gute Vorbereitung aufs Leben, bin ich froh. Und wenn ich meinen Kindern das Selbstvertrauen mitgeben kann, auf eigenen Füßen zu stehen, Verantwortung zu übernehmen und dabei auf ihre Familien und ihr Umfeld zu achten – dann sind meine Apfelkerne wieder als Samen aufgegangen.

Das blaue Ungetüm oder mit 140 PS zur großen Freiheit

„ ...steuere ich ein vier Meter breites und neun Meter langes, starres Ungetüm. Mein Blick schweift zum wolkenlosen Horizont, ich bin glücklich. "

Mai 1992, Sachsen-Anhalt, endlose Äcker bis an die Elbdeiche, sandige Kiefernwälder, saftige Wiesen am Fluss. Ab und zu eine kleine Erhebung, ein „Berg", wie die Einheimischen sagen. Und immer eine sanfte Brise um die Nase.

Es ist trocken und heiß. Ich mache Praktikum auf einem 500 Hektar großen Ackerbaubetrieb kurz nach der Wende, fühle mich frei wie lange nicht mehr.

Mit dem blauen Ungetüm, einem unsynchronisierten Ford mit 140 PS, säe ich Stilllegungsfläche ein, 120 Hektar. Und 30 Hektar Öl-Lein. Mit der pneumatischen Sämaschine, kombiniert mit Kreiselegge, steuere ich ein vier Meter breites und neun Meter langes, starres Ungetüm. Mein Blick schweift zum wolkenlosen Horizont, ich bin glücklich. Endlich mache ich das, wovon ich immer geträumt habe.

Szenenwechsel: Damals daheim.

Ein Nebenerwerbshof von 25 Hektar in Baden-Württemberg, mit 15 Milchkühen und zwei Muttersauen mit Nachzucht. Hühner, Katzen, ein Hund. Ich bin die älteste von vier Kindern, drei Mädchen und einem Jungen. Oma und Großtante wohnen mit auf dem Hof. Der Vater geht halbtags zur Arbeit.

Es ist klar, dass alle auf dem Hof mithelfen, von der kleinen Schwester bis zur Oma. Ebenso klar ist auch die Rollenverteilung. Haushalt, Garten, Melken und die Handarbeiten auf dem Feld sind Frauensache. Den Traktor fährt der Vater. Nur in Arbeitsspitzen wie der Heuernte fährt Mutter den zweiten Traktor. Das ist dann meist der kleinere.

Uns Kindern sind die Aufgaben auch klar zugeteilt. Wir Mädchen helfen im Haushalt, der Bruder fährt mit dem Vater aufs Feld. Oft genug wird er am Abend von der Oma gelobt: „Der Bub war heute aber wieder fleißig." Dabei hat seine ganze „Arbeit" darin bestanden, neben Vater auf dem Traktor zu sitzen. Unser Mithelfen in Haus und Garten dagegen ist nicht der Rede wert.

Die Arbeit auf dem Feld zählt einfach mehr. Kein Wunder, dass ich den Traktor auch fahren will. Beim Grünmaisholen oder Aufladen der Kartoffelsäcke dürfen wir Kinder dann abwechselnd alle auf dem Acker zufahren. Und später schickt uns Vater auch tatsächlich zum Pflügen und Grubbern raus: meinen Bruder und mich, immer zu zweit. Allmählich werden wir zu einem eingespielten Team. An den Samstagen, wenn wir beide zu Hause sind, wechseln wir uns mit der Feld- und Hausarbeit ab. Einen Samstag bin ich fürs Putzen zuständig und mein Bruder ist auf dem Feld, den nächsten Samstag bleibt er daheim und ich fahre mit raus.

So weit, so gut. Könnte man meinen. Doch die schwierigeren Arbeiten, wie Maschinen einstellen oder rückwärts mit dem Ladewagen oder Miststreuer in den Hof stoßen, scheitern regelmäßig an Vaters Ungeduld. Oft genug schmeiße ich dann den ganzen Kram hin und Vater macht seine Arbeiten alleine.

Irgendwann geht dann auch die Schulzeit zu Ende und die Frage der Berufswahl steht an. Ich will Bäuerin werden und Landwirtschaft lernen. Ich arbeite gerne auf dem Feld und im Stall. Doch meine Eltern sind da anderer Meinung. Sie sähen mich lieber mit einem Dach über dem Kopf in einem warmen Büro sitzen. Die Arbeit auf dem Hof wäre viel zu schwer für mich, ich wäre zu klein, hätte nicht genügend Kraft, könnte keine Maschinen reparieren. Und in der Berufsschule wäre ich das einzige Mädchen unter lauter wilden Jungen.

Tatsächlich lande ich dann im Büro einer großen Firma. Es fährt ein Werkbus, somit gibt es keine Probleme mit der ansonsten schlechten Verkehrsanbindung, und meine beste Freundin lernt in dem gleichen Betrieb. Aber glücklich bin ich nicht. Ich will nicht nur auf den Feierabend oder das Wochenende hinarbeiten. Ich will einen Beruf, der mir Freude macht.

So ist bald klar, dass ich den Job nach Beendigung der Lehrzeit an den Nagel hängen und etwas Landwirtschaftliches lernen werde. „Wenn schon in die Landwirtschaft, dann als ländliche Hauswirtschafterin", meinen die Eltern. Mit Unterstützung der Ausbildungsberaterin vom Landwirtschaftsamt überreden sie mich dazu, denn schließlich könne ich immer noch keine Maschinen reparieren, geschweige denn den Miststreuer rückwärts den verwinkelten Weg durch die enge Hof- und Scheuneneinfahrt zum Misthaufen bugsieren.

Aber wieder werde ich nicht glücklich mit der „Wahl" meines Berufes. Manchmal komme ich mir sogar richtiggehend verschaukelt vor. Zum Beispiel, wenn uns beigebracht wird, wie man Geschirrtücher mustergültig zusammenlegt: erst dritteln und dann halbieren oder vielleicht auch erst halbieren und dann dritteln. Ich weiß es nicht mehr. Berufsschullehrerinnen, die uns Anstand und Sitte beibringen wollen, Lehrmeisterinnen, deren verwöhnten Kindern wir alles hinterher räumen sollen ... Neben vielen durchaus anspruchsvollen Aufgaben gibt es unzählige stupide und oft als überzogen wichtig erachtete Arbeiten. Und wenn man der Lehrerin in der Berufsschule erst noch erklären muss, was homogenisierte Milch ist, beginnt man doch allmählich an der Qualität der Ausbildung zu zweifeln.

Die Lehrzeit geht ihrem Ende entgegen, ich bekomme Lust, wieder in die Schule zu gehen. Mal sehen, wie viel Grips mir noch geblieben ist. Die Landwirtschaft bleibt natürlich ein Thema, ich melde mich an der Fachoberschule für die Fachrichtung Landwirtschaft an. Nach einem Jahr, mit der Fachhochschulreife in der Tasche, beginne ich mein Landwirtschaftsstudium. Endlich die Themen, die mich interessieren, endlich umfangreiche Informationen und Hintergrundwissen. Nach zweieinhalb Jahren geht es ins Praktikum. Zuerst nach Sachsen-Anhalt, reiner Ackerbaubetrieb mit 500 Hektar Land, danach auf einen 60-Hektar-Bio-Hof mit Milchviehhaltung in Bayern. Mit neuem Selbstvertrauen und halbwegs aufgeschlossenen Meistern kann ich nun endlich alles mitmachen, bekomme alles in Ruhe erklärt, kann ausprobieren. Und siehe da, es klappt. So technisch und handwerklich unbegabt bin ich gar nicht. Viele Arbeiten mache ich bald komplett selbstständig. Ich bin in meinem Element, blühe richtig auf. Landwirtschaft – das ist meine Welt.

Szenenwechsel: Heute daheim.

Inzwischen habe ich zusammen mit meinem Mann den Hof meiner Eltern gepachtet. Wir führen einen anerkannten Bio-Betrieb, immer noch im Nebenerwerb. Nun bin ich es, die daheim die Sämaschine abdreht oder den Ölwechsel macht. Und wenn mein Vater wieder einmal hektisch wird, wenn er einen 3-Hektar-Schlag zu säen hat, denke ich grinsend an das blaue Ungetüm und die 30 Hektar, die ich damit an einem Tag eingesät habe. Damals im Mai, in Sachsen-Anhalt.

Immer regnet es zur falschen Zeit

„Dieses karge und arbeitsreiche Dasein, eingeklemmt, fast erstarrt zwischen Stall und Feld, Sommer und Winter, das war keine Herausforderung für mich."

Wenige Ereignisse sind mir aus meiner Kindheit bewusst in Erinnerung geblieben. Eines kommt mir immer dann ins Gedächtnis, wenn ich in meinem kleinen Heimatdorf beim Einkaufen meiner ehemaligen Schulkameradin Friedrun im Lebensmittelladen begegne. Friedrun ist dort nämlich Filialleiterin und es ist einfach unvermeidlich, dass man sie trifft, meist beim Ein- und Umräumen der Regale.

Fast dreißig Jahre ist es her, dass wir gemeinsam bei der Hochzeit meiner Kusine waren. Nach dem obligatorischen schwäbischen Rostbraten mit Spätzle durften wir Kinder, in unseren schönen Sonntagssachen, spielen gehen, während die Erwachsenen sich mit Viertele von Trollinger und Riesling vergnügten. Unvermittelt sagte Friedrun, dass ich heute so gebadet riechen und ganz und gar nicht nach Stall stinken würde. Alle Gefühle dieser Welt stiegen gleichzeitig in mir auf – Ärger, Scham, Zorn. Aber es war nichts zu machen. Friedrun hatte es deutlich genug ausgesprochen, ich stank nach Stall.

Zum ersten Mal in meinem kurzen Leben wurde mir meine bäuerliche Herkunft bewusst und ich begann von nun an zu hassen, was mir bisher vertraut war. Kälber und Ferkel, mit denen man spielen konnte, Hasen, die gefüttert werden mussten, und Hühner, die immer so schrecklich schrien, bevor sie geschlachtet wurden. Ich konnte machen, was ich wollte, immer umgab mich der Mistgestank. Ich konnte mich selbst kaum mehr riechen.

Bauernkinder haben keine Wahl. Sie müssen mitarbeiten. Sie fahren Traktor, lange bevor sie ihren Führerschein bekommen. Die Vorbereitung auf ihr zukünftiges Bauerndasein beginnt früh und dauert lang. Bauerneltern schicken ihre Kinder nicht zum Klavierunterricht oder in die Ballettstunde. Sie schicken ihre Kinder in den Stall zum Füttern der Tiere und zum Ausmisten. Es ist nicht so, dass ihnen die Begabungen ihrer Kinder nicht wichtig wären. Dennoch: Die viele Arbeit muss gemacht werden und überall fehlen Hände zum Anpacken.

Nach den großen Schulferien sind manche Lehrer bemüht, besonders „originell" zu sein, und verlangen von ihren Schülern einen Aufsatz über deren Ferienerlebnisse. Meine Mitschüler konnten von Sandburgen berichten, die sie an italienischen Stränden gebaut hatten, ich von der Heuernte.

Für den Bauern dreht sich das ganze Leben nur um das Wetter. Immer regnet es zur falschen Zeit. Dieses karge und arbeitsreiche Dasein, eingeklemmt, fast erstarrt zwischen Stall und Feld, Sommer und Winter, das war keine Herausforderung für mich. Es erschien mir als trostlose Zukunft, zwar in geordneten Verhältnissen, aber mit der Aussicht, vor sich hin zu „wurschteln", sich abzumühen, bis man nicht mehr konnte. Ich hingegen wollte „auserwählt" sein und meinen Träumen folgen.

Ungenau und vage waren meine Vorstellungen. Zuerst musste man einen Beruf erlernen. Meine armen Eltern hatten sich ihr ganzes Leben nur mit Ackerbau und Viehzucht beschäftigt, wenig wussten sie über die Welt außerhalb und entsprechend ratlos waren sie über meine Studienentscheidung: Volkswirtschaftslehre wollte das Kind studieren. Sie wussten zwar nicht so genau, um was es sich dabei handelte oder wie ich darauf kam, aber ich war das erste Kind weit und breit, das es zum Abitur geschafft hatte, und so dachten sie, ich sei gescheit und werde wohl wissen, was ich tue.

Damit nicht genug, das Kind brachte auch gleich einen Freund nach Hause und leider einen, den sich die wenigsten Eltern in einem kleinen schwäbischen Dorf als Schwiegersohn wünschen würden. Einen Ausländer, dazu noch aus dem tiefsten Afrika. Ich glaube, meine Eltern waren froh, dass ich hunderte von Kilometern entfernt studieren würde und sie nur selten ihren zukünftigen Schwiegersohn ihren Nachbarn präsentieren mussten. Doch tapfer ertrugen sie die Eskapaden ihrer Tochter. Heute weiß ich, dass sie, die in ihrem Leben kaum einmal in die fünfzehn Kilometer entfernt liegende Kreisstadt kamen, bei der Vorstellung, ihre Tochter könnte einmal nach Afrika gehen, mehr als nur beunruhigt waren. Meine Mutter hatte viele schlaflose Nächte.

Es hat lange gedauert, bis mein Mann akzeptiert wurde. Dass die Familie ihn aufnahm, wurde deutlich durch seine Berufswahl erleichtert, er studierte nämlich Tropische Landwirtschaft.

Von nun an musste ich mich daran gewöhnen, dass andere Menschen sich um meine Beziehung kümmerten und allerlei schwachsinnige Fragen an mich richteten. Es ist mir bis heute noch nicht klar, warum sich niemand vorstellen kann, dass unsere Ehe sich nicht von der anderer Paare unterscheidet, unser Leben ist genauso aufregend und langweilig und spannend. Wir haben Beziehungskrisen, manchmal Dramen, erlebt und hatten Geldprobleme. Erstaunlicherweise denken manche Menschen, es müsse bei uns noch andere, ominöse Aspekte geben.

Womit schwer umzugehen ist, ist die deutsche Bürokratie. Ich kann allen, die es nicht aus eigener Erfahrung wissen, versichern, dass Verwaltungsvorschriften und dergleichen ausreichend vorhanden sind, um Fremde daran zu hindern, in unser Land zu kommen. Sollten sie es trotzdem schaffen, gibt es wiederum mehr als genug Verordnungen, um ihnen die Lebensfreude zu nehmen.

Warum gibt es so krasse wirtschaftliche Unterschiede innerhalb eines Landes? Warum sind einige Länder wohlhabend und andere bitterarm? Wie kommt es, dass 20 bis 30 Prozent der Weltbevölkerung einen Großteil der Ressourcen des Planeten verbrauchen und für viele der globalen Umweltprobleme verantwortlich sind? Solche Fragen bewegten mich dazu, Volkswirtschaftslehre zu studieren.

Nach neun Semestern Studium mussten uns die gesammelten wirtschaftswissenschaftlichen Erkenntnisse von Angebot, Nachfrage und Preisbildung sowie die Analyse des Wachstums des produzierten Kapitals und des Bruttosozialproduktes, ausgedrückt in Simultangleichungen und unzähligen algebraischen Modellen, geläufig sein. Heiklere Fragen, wie die nach Verteilung von Einkommen und Wohlstand und die Rolle der wirtschaftlichen Macht in der Gesellschaft, werden dagegen eher ausgeklammert, vermutlich weil diese Fragen von Marx thematisiert wurden und weil sie durch die von den Ökonomen bevorzugten Methoden und Techniken nicht analysiert werden können.

Marxistin bin ich nicht, es ist nur so, dass die Aussagen und Empfehlungen unserer ökonomischen Modelle von zahllosen Annahmen abhängig sind und die Ökonomie keine Naturwissenschaft ist.

Als ich mich um eine Stelle an der Freien Universität Berlin bewarb, fragte mich der Professor für Volkswirtschaftslehre während des Vorstellungsgespräches nach meiner Meinung zur Arbeitszeitverkürzung als Mittel zur Bekämpfung der Arbeitslosigkeit. Ich versuchte mit Bedacht und wohlausgewogen zu antworten und verwies darauf, dass alle Möglichkeiten, auch die der Arbeitszeitverkürzung, in Betracht zu ziehen seien, um das Problem der Arbeitslosigkeit anzugehen. Den Professor versetzte meine Äußerung dermaßen in Rage, dass er mich zum „Gedankenguerillero" erklärte.

Nachdem meine akademische Laufbahn damit bereits zu Ende war, wurde ich technische Angestellte bei einem großen deutschen Automobilzulieferer.

Mühsam arbeitete ich mich in die Aufgabenstellung ein. Häufig mein dickes Fachbuch in der Schreibtischschublade konsultierend. Ganz gewiss hätte ich keine elf Jahre in diesem Betrieb überstanden ohne die große Unterstützung von Kollegen und meinem Arbeitgeber, der wirklich erheblich in meine Fortbildung investiert hat und verständnisvoll manche meiner Fehlentscheidungen überging.

War das nun besser als das Bauernleben, war das der große Schritt auf dem Weg hin zum erstrebenswerten Ziel?

Ja und nein. Jetzt hatte ich eine Aufgabenstellung, geregelte Arbeitszeit, regelmäßiges Einkommen, zahlte Steuern und Sozialversicherungsbeiträge. In der Routine des Arbeitsalltages konnte man leicht vergessen, dass man ein winziges Element eines größeren Ganzen war. Dieses größere Ganze basiert zwar auf der Gesamtheit aller winzigen Elemente, die Individuen selbst sind allerdings austauschbar.

Auf dem Bauernhof ist das anders, kein Individuum kann ersetzt werden, kommt ein Einzelner abhanden, ist dies nicht selten das Ende des Ganzen. Ging ich von meinem Schreibtisch in die Produktionshallen, wo eine Unterhaltung nur unter Brüllen möglich war, sofern einem bei dem penetranten Dieselgestank nicht gleich die Lust zum Unterhalten verging, dachte ich häufig mit Nostalgie an die Ruhe bei der Feldarbeit. Jede Lebensweise hat ihren Preis, ein unselbstständig Beschäftigter verkauft seine Arbeitskraft zwischen sieben und sechzehn Uhr; anschließend hat er die Wahl, seine Zeit mit unzähligen Freizeitangeboten oder der Übernahme von Ehrenämtern in Sportvereinen und Funktionen in sozialen Einrichtungen zu verbringen. Auch Bauern engagieren sich und sei es nur im Bauernverband und bei den Landfrauen, sonst lässt ihnen ihr Arbeitsaufkommen ja wenig Zeit zur Zerstreuung.

Ich bin mit meinem Mann nach Mosambik gegangen. Für die meisten ist es eines der vielen Länder, mit denen man Bilder von Armut, Krieg und Naturkatastrophen verbindet. Ja, es ist ein Land, wo sich Ekstase mit Agonie mischt.

In den Chimanimani-Bergen im Westen Mosambiks, entlang der Grenze zu Zimbabwe, die dank ihrer Unzugänglichkeit und geringen Bevölkerungsdichte nahezu unberührt erhalten geblieben sind, hat man angesichts der Einsamkeit und unendlich weiten Landschaft keine andere Wahl, als an einen Gott zu glauben. Dazu die atemberaubende 2.500 Kilometer lange Küste, eine der längsten des afrikanischen Kontinents, von Palmen und türkisfarbenem Wasser gesäumt, geprägt von der trägen und langsamen Gangart des Indischen Ozeans.

Gewalt ist eine Realität hier – unübersehbar die Spuren der

Zerstörung, die der 1992 beendete Bürgerkrieg hinterlassen hat –, ebenfalls die Armut, die einem das Herz zerreißt. Trotz der in den vergangenen Jahren beachtlichen wirtschaftlichen Wachstumsraten Mosambiks beträgt der Anteil der absolut Armen immer noch etwa 70 Prozent der Bevölkerung. Das sind annähernd 12 Millionen Menschen.

Der offizielle Mindestlohn beträgt für die wenigen Glücklichen, die einen Arbeitsplatz haben, ungefähr 35 Dollar pro Monat, das reicht gerade mal, um eine Familie zwei Wochen lang zu ernähren. Einen Eindruck davon kann man beim Besuch des riesigen txungamoio-Marktes in Beira bekommen, der täglich von Tausenden frequentiert wird. Händler mit allen möglichen Utensilien zwischen Abfallbergen, Bettlern und Straßenkindern, Garküchen in unerträglichen hygienischen Zuständen und überhaupt keine sanitären Einrichtungen. Inmitten dieses Chaos und der Anarchie kämpfen Menschen um ein bisschen Glück, lachen und fluchen, ganz junge Mädchen prostituieren sich für eine Mahlzeit. Andere, die diesem Lebenskampf nicht gewachsen sind, geben sich dem Alkoholismus hin. Vielleicht leben diese Menschen ein reelleres Leben als wir es tun? – Ich habe es als Glück empfunden, zwischen dem versicherten Leben in Deutschland und der Ungewissheit eines Lebens in Mosambik wählen zu können. Entschieden habe ich mich für Ekstase und Agonie.

Ich habe mich entschieden, nach Beira zu gehen, der zweitgrößten Stadt des Landes, und den morbiden und bizarren Charme dieses in der portugiesischen Kolonialzeit von den weißen Kolonialherren im damaligen Rhodesien so beliebten Seeortes zu erfassen. Heute besitzt die Stadt nur noch einen Schatten ihres einstigen Flairs.

Flüchtlinge haben während des Bürgerkrieges die Stadt auf der Suche nach Sicherheit überschwemmt und die bescheidene Infrastruktur an den Rand des Zusammenbruchs gebracht. Zwei Jahrzehnte Sozialistischer Realismus, mit aktiver Beratung von Experten aus der ehemaligen DDR, haben das langsame Abgleiten nicht aufgehalten, vielleicht sogar beschleunigt.

Wasserversorgung und Abwasserentsorgung funktionieren nur noch unzureichend. Müllbeseitigung war lange Zeit für die Stadtverwaltung eine nahezu unbekannte Aktivität. Die nach der Unabhängigkeit verstaatlichten Gebäude und Wohnhäuser befinden sich in einem bedauernswerten Zustand.

Die medizinische Versorgung hat allenfalls Basisniveau, hier habe ich das deutsche Gesundheitswesen mehr als schätzen gelernt und mir oft gewünscht, die deutsche Überversorgung möge ein wenig an Mosambik abgeben.

Mein Mann, der die deutsche Staatsangehörigkeit besitzt, ist vier Monate vor mir nach Mosambik ausgereist, um meine Ankunft vorzubereiten. Zunächst musste unser Aufenthaltsstatus geklärt werden. Ja, auch Mosambik besitzt eine Ausländerbehörde mit allen dazugehörigen Gesetzen. Viele Monate hat es gedauert und etliche amerikanische Dollars gekostet, bis wir beide unsere Aufenthaltserlaubnis bekommen haben. Die mosambikanische Bürokratie kann ein Alptraum sein, hinzu kommt, dass Mosambik die Langsamkeit zum Kult erhoben hat.

Für die Beamten in der Ausländerbehörde ist mein Mann immer ein Fall, der ihnen Kopfzerbrechen verursacht – ein Mosambikaner mit deutschen Pass. In Deutschland ist er ein Afrikaner mit deutschem Pass.

Ich will nicht verschweigen, dass mir die Ausreise aus Deutschland schwer gefallen ist, der Abschied von meiner Mutter und meinen Geschwistern, die Frage, wie wird mein Leben in Mosambik sein. Ende November war es dann so weit, mein Mann wartete an der Grenze zwischen Mosambik und Simbabwe auf mich und ein neuer Lebensabschnitt begann. Wir fuhren die zweihundert Kilometer nach Beira zu unserem neuen Zuhause. Wir waren etliche Male vorher in Mosambik gewesen, aber für mich war es, als ob es die erste Reise wäre. Alles war neu, Menschen, die ich kannte, waren mir plötzlich unbekannt. Es hat Tage gedauert, bis ich mir die einzelnen Gesichter merken konnte.

Wir besitzen eine recht große Wohnung in einem Zweifamilienhaus mit allem, was für den mitteleuropäischen Bedarf notwendig ist: Strom, Telefon und Wasser, Fernseher, Kühlschrank und Kochherd. Unvorstellbar für durchschnittliche europäische Verhältnisse sind die obligatorischen Hausangestellten, die kochen, waschen, putzen und bügeln. Insgesamt kann man sich privilegiert fühlen.

Unermüdlich stellen mir Menschen in Deutschland die Frage: „Ist es denn als weiße Frau möglich, in einer afrikanischen Großfamilie zu leben?" – „Ja, es ist möglich." Denn letzten Endes hat jede Familie ihr eigenes Heim, auch wenn es nur eine Hütte ist. Natürlich ist die durchschnittliche Familie größer, als wir es in Deutschland gewöhnt sind. In unserem Haushalt lebt ständig meine Schwiegermutter. Sie ist eine einfache Frau vom Land, die weder lesen noch schreiben kann und nur minimal Portugiesisch spricht, so dass unsere Kommunikation zu meinem Bedauern immer über Dritte stattfinden muss. Ich habe es nie geschafft, über einige Grundkenntnisse der Muttersprache meines Mannes hinauszukommen.

Natürlich bekommen wir häufig Besuch zu allen möglichen Tageszeiten, jedoch ist es noch nie vorgekommen, dass sich jemand plötzlich für viele Tage und Wochen in unserem Haus einquartiert hat. Eigentlich ist man nie alleine, was nicht heißt, dass mein Mann und ich uns nicht zurückziehen können. Ich glaube, dass viele Menschen in Deutschland glücklicher wären, hätten sie solche sozialen Kontakte.

Des Weiteren will man von mir immer wieder wissen: „Ja, hat sich dein Mann denn nicht verändert, hat er keine zweite, dritte Frau genommen?" – „Nein, hat er nicht", pflege ich dann zu antworten. Auch würde er mich nicht prügeln oder mich in meiner Bewegungsfreiheit einschränken. Ich kann völlig frei über unser Geld verfügen und auch sonst machen, was ich will.

In Europa spricht man immer über die Stellung der Frau in der afrikanischen Gesellschaft und vergisst dabei, dass Afrika ein riesiger Kontinent ist, mit vielfältigen kulturellen und sozialen Unterschieden. Daher sollte man immer den Kontext berücksichtigen. Mosambik ist eine Gesellschaft, die sich im Umbruch befindet. Es gibt eine bedeutende städtische Bevölkerung, die ihre traditionellen Werte nicht aufgegeben, gleichzeitig aber auch moderne Elemente in ihren Wertekatalog aufgenommen hat. Sowohl auf dem Land als auch in der Stadt ist die Familie, bestehend aus Eltern und Kindern, die Basis der Gesellschaft. Frauen sind dem Gesetz nach gleichberechtigt, natürlich besteht zwischen Anspruch und Wirklichkeit eine gewisse Diskrepanz, die man aber nicht überbewerten sollte. Frauen trennen sich von ihren Männern, Frauen sind berufstätig, Frauen fahren Auto, Frauen haben Liebesaffären.

Unvorstellbar ist allerdings die Single-Lebensform. Allein stehende Frauen (und auch Männer) kennt die Gesellschaft nicht. Das Individuum wird erst durch die Einbindung in die Familie ein anerkanntes Mitglied der Gesellschaft und auch in seiner eigenen Selbstwahrnehmung ein glücklicher Mensch. Deshalb strebt jede Frau (und jeder Mann) danach, Teil einer Familie zu werden. Weniger in der Stadt als auf dem Land ist die Polygamie noch häufig anzutreffen, allerdings weitaus seltener, als man sich das in Europa vorstellt. Polygamie ist eher die Ausnahme als die Regel.

In Mosambik gibt es nur wenige unselbstständige Erwerbsmöglichkeiten und so bleibt nur der Weg in die Selbstständigkeit. Was lag für einen Agraringenieur näher als Landwirtschaft zu betreiben? Darauf hatten wir uns lange vorbereitet und damit wollten wir unseren Lebensunterhalt bestreiten. Und so war ich wieder zu meinen Ursprüngen zurückgekehrt, von denen ich vor so vielen Jahren die Flucht ergriffen hatte.

Die Mehrheit der mosambikanischen Bevölkerung lebt auf der Basis der Subsistenzlandwirtschaft (circa 80 Prozent), sie sind also reine Selbstversorger; die Landwirtschaft hat einen Anteil von 25 Prozent am Bruttoinlandsprodukt. Hauptanbauprodukte sind Mais, Bohnen, Baumwolle, Zuckerrohr und Hirse. Es gibt kaum Traktoren, das heißt, das Land wird praktisch nur mit der Hacke bearbeitet. In den letzten Jahren gab es viele Anstrengungen, den während des Krieges dezimierten Viehbestand zu erhöhen, so dass inzwischen auch zahlreiche Ochsengespanne wieder im Einsatz sind. Nichtsdestotrotz ernähren Millionen Kleinbauern das Land mit bewundernswerter Mühe und Plagerei per Handarbeit und praktisch ohne chemische Hilfsmittel.

Erwähnenswert und interessant ist die Frage des Landbesitzes. In Mosambik gehört das Land dem Staat. Jeder Interessierte kann in einer bürokratisch aufwändigen Prozedur einen Antrag auf Nutzung einer bestimmten Fläche stellen. Wird dem Antrag stattgegeben, erhält der Antragsteller ein fünfzigjähriges Nutzungsrecht. Daneben gibt es kommunales Land, das im Besitz einer Dorfgemeinschaft ist. Nun, unserem Antrag auf Landnutzung wurde stattgegeben und so konnten wir darangehen, unser Lebenswerk zu errichten. Mit viel Enthusiasmus und einer gehörigen Portion Naivität machten wir uns an die Aufgabe. Das Resultat im ersten Jahr unserer Aktivitäten war gleich null. Es wollte und wollte in diesem Jahr nicht regnen. Mosambik litt unter einer schweren Dürre und wir hatten nur Ausgaben und keine einzige Einnahme. Das bedeutete, weiter von den Reserven zu leben und auf das nächste Jahr zu hoffen.

Das nächste Jahr war dann auch wirklich unser bestes Jahr, mit fast 20 Hektar Baumwollanbau und sieben Hektar Maisanbau gelang es uns, einen winzigen Überschuss zu erwirtschaften, der aber kaum ausreichte, um unsere bescheidenen Haushaltskosten zu decken. Wir machten uns Mut, beschlossen aus unseren Erfahrungen zu lernen und nächstes Mal alles besser zu machen und zehrten weiter von unseren abnehmenden Reserven. Die Herausforderung für kommerzielle Landwirtschaft in Mosambik besteht darin, dass erstens keine Wege und Straßen vorhanden sind, um die Ernte zum Markt zu bringen, und zweitens keine funktionierende Vermarktungsorganisation besteht. Praktisch ist man gezwungen, sich auf die Straße in Beira zu stellen und seinen Mais kiloweise zu verkaufen. Es mag unglaublich klingen, aber die gesamte Vermarktung geschieht auf eine sehr archaische Art und Weise. Hauptsächlich Frauen gehen aufs Land, leben für zwei oder drei Monate im Zelt und kaufen von den Bauern nach und nach Mais auf, bis sie eine genügende Menge haben, die es rechtfertigt, einen Lkw zu mieten. Danach verkaufen sie ihn in Maputo oder Beira weiter.

Angesichts von fast zwei Jahren ohne Einkünfte und geringer Aussicht auf Änderung musste Abhilfe geschaffen werden. Ich machte mich wieder auf die Suche nach einer entlohnten Beschäftigung und mein Mann blieb bei der Landwirtschaft. Ich wurde Entwicklungshelferin.

Der Anspruch der Entwicklungshilfeorganisationen ist hoch, so soll etwa die Armut gemindert und Konflikte bearbeitet, der Frieden gefördert werden, die Situation von Frauen soll verbessert, demokratische Strukturen gestärkt werden. Ein Beispiel ist das Projekt, in dem ich arbeite. Es wird angestrebt, „dass öffentliche und private Träger effizient und nachfrageorientiert Dienstleistungen für den Entwicklungsprozess erbringen." Bei diesem nebulös formulierten Projektziel soll es meine Aufgabe sein, selbstständig und eigeninitiativ zu beraten, eventuell zu den einzusetzenden Hilfsmitteln Studien anzufertigen und zu dritten Organisationen und Personen Kontakte aufzubauen. Die Vorgaben machten uns letztlich nur ratlos. Ergebnis unserer Bemühungen waren zahllose Studien und Erhebungen, unter anderem eine Armutsstudie der Provinz, Studien über den Privatsektor, eine Erhebung des touristischen Potenzials. Zahlreiche Seminare zu Fragen dörflicher Organisationsmöglichkeiten, Tourismusstrategien und einer Vision der Provinz für die nächsten zehn Jahre wurden durchgeführt.

Man kann unterschiedlicher Meinung sein, ob das Projekt seinen Auftrag erfüllt hat, bestimmte Distrikt- und Provinzverwaltungen durch Aus- und Fortbildung in die Lage zu versetzen, bessere Dienstleistungen für die Bürger zu erbringen. In jedem Fall besteht eine erhebliche Diskrepanz zwischen Anspruch und Realität. Im Grunde genommen müssen ganz andere Anstrengungen unternommen werden, um das weltweite Armutsgefälle zu beseitigen, und dazu wird die Globalisierung, wenn auch unabsichtlich, beitragen.

Im Rahmen der Globalisierung sind die Industrieländer gezwungen, tief greifende strukturelle Anpassungen vorzunehmen, um das Problem der andauernden Arbeitslosigkeit in den Griff zu bekommen. Gleichzeitig kann Globalisierung keine Einbahnstraße sein. Die durchaus positiven Aspekte müssen für die Entwicklungsländer auch zum Tragen kommen, das heißt Öffnung der Märkte für Produkte der Entwicklungsländer, die in erster Linie landwirtschaftliche Erzeugnisse exportieren. Besonders schmerzhaft wird dieser Prozess für die europäische Landwirtschaft sein.

Letzten Endes wird die europäische Landwirtschaft auf Kosten einer Mehrheit der Bevölkerung – Konsumenten und Steuerzahler – geschützt. Lebensmittelpreise sind weltweit nirgendwo so hoch wie in der Europäischen Union. Die landwirtschaftlichen Pro-Kopf-

Einkommen sind zwar gestiegen, aber hauptsächlich durch den Rückgang der landwirtschaftlichen Betriebe und durch Abnahme der in der Landwirtschaft Beschäftigten.

Viele Bauern sind stolz darauf, als Selbstständige ihr eigener Herr zu sein, mit der Natur in Einklang zu leben, eine sinnvolle Tätigkeit als Nahrungsmittelproduzent auszuüben und dies alles mit einem intakten Familienleben zu verbinden, das durch das Bild des Zusammenlebens von mehreren Generationen unter einem Dach aufrechterhalten wird. Obgleich dieses Zusammenleben häufig bäuerlicher Armut und mangelnder Integration in die Sozialversicherung geschuldet ist.

Ich habe mir immer gewünscht, „auserwählt" zu sein, ohne genau zu wissen, was das überhaupt bedeutet. Heute glaube ich, es entspricht einem Zustand von Sicherheit, Ruhe und Glück. Ich bin viel gereist und habe die Möglichkeit gehabt, in verschiedenen Welten zu leben. Die Erfahrung, ganz unterschiedliche Herausforderungen meistern zu können, gibt Sicherheit. Aber die Sicherheit, die ich meine, ist mehr als finanzielle Unabhängigkeit. Es ist das Wissen um das eigene Können, um die Unverwechselbarkeit seines Ichs. Das nimmt einem die Angst, gibt Ruhe und Gelassenheit.

Zugegeben, man muss nicht um die halbe Welt reisen und wieder zurück, um zu diesem Zustand zu gelangen. Jede andere Frau, sei es Bäuerin oder Filialleiterin im Lebensmittelladen, kann Sicherheit, Ruhe und Glück auch in der ihr vertrauten Umgebung finden.

Lieber Gott, mach, dass der Samstag schnell vorbeigeht

„Der Samstag war Hausputztag. Während meine Schulfreundinnen den Nachmittag im Freibad verbrachten, stand für uns Hausputz auf der Tagesordnung."

Der Apfel, mit dem ja ich gemeint bin, fiel erst einmal recht weit vom Stamm, einige tausend Kilometer. Schon sehr früh, gleich nach meiner Krankenpflegeausbildung vor zwanzig Jahren, zog es mich gen Süden ins Ausland. Ich war verliebt und ich war begierig, die weite Welt in mich aufzusaugen. Das Leben in all seiner Weite und Offenheit lag vor mir. Und im Süden bin ich geblieben. Vieles gehört der Vergangenheit an, die damalige Liebe und auch meine noch weiter zurückliegende Kindheit und Jugend als Bauerntochter in Süddeutschland.

Bauerntochter: Wie hat mich das geprägt? Fiel der Apfel tatsächlich so weit vom Stamm?

Wir Bauernkinder haben das große Glück, Platz zu haben. Wir müssen unsere kindliche Energie nicht in der Zweieinhalb-Zimmer-Wohnung einer Arbeitersiedlung unterbringen. Bauernhäuser sind in der Regel geräumig, auch ums Haus herum, besonders auf einem Aussiedlerhof. Dort gibt es genügend Platz, um sich auszutoben, die Körper zu stählen und zu erproben. Die Natur und der Kontakt zu Tieren und Pflanzen lehren uns die natürlichen Rhythmen von Frühjahr, Sommer, Herbst und Winter, von Geburt und Tod, Wohlbefinden und Krankheit.

Immer blieb dieses direkte Erleben der Natur und das Leben in der Natur für mich existenziell. Noch nie brachte ich es fertig, in einer Wohnung zu leben, die nicht ebenerdig lag, in der ich nicht nachts die Weite des Himmels und tagsüber Felder und Bäume oder das weite Meer um mich hatte, wenn ich aus dem Haus trat. Je älter ich werde, umso bewusster wird mir der heilende Einfluss, den die Natur auf mich hat.

Als Bauernkinder erfahren wir das Leben in gewisser Weise ganzheitlich. Heim und Arbeitsplatz, Freizeit und Arbeit sind nicht klar getrennt. Der Vater verschwindet nicht während des größten Teils des Tages in eine für uns Kinder geheimnisvolle Arbeitswelt. Diese Erfahrung lässt uns auch später immer der Ganzheit in den verschiedenen Lebensbereichen nachspüren.

In den relativ kurzen Perioden meines Lebens, in denen ich außerhalb meiner privaten Lebenssphäre arbeitete – zuerst als Krankenpflegerin, später eine Zeit lang als Deutsch- und Englischlehrerin –, kam ich zum Beispiel nie richtig klar damit, zu einer bestimmten Uhrzeit aus dem Haus gehen zu müssen, egal ob es schneite oder ob die Sonne schien, ob ich mich wohl fühlte oder nicht, ob lieber Besuch da war oder ob ich die Nacht durchgefeiert hatte. Ich empfand es auch oft als unerträglich, so viele Stunden des täglichen Lebens mit Menschen zu verbringen, mit denen ich außer der Arbeit nicht viel gemeinsam hatte. Ich mag mein Leben nicht aufteilen in Privatleben und Berufsleben. Suche ich hier die in der Kindheit erlebte Ganzheit?

In einer Bauernfamilie leben und arbeiten, leiden und freuen sich Eltern und Kinder, und oft auch die Großeltern, gemeinsam. Ansprechpartner, Vorbild und Erzieherin für die Kinder ist nicht nur die Mutter, sondern auch der Vater und die restlichen auf dem Hof lebenden Erwachsenen.

An meinen Opa erinnere ich mich noch recht gut, wie er oft auf der Bank hinter der Waschküche saß und Salat gelesen hat: „Da hast du das Herzle, das ist besonders gut." Für mich war es ein Leckerbissen. Seine Aufgaben waren das Versorgen des Hofhundes und das Schuhputzen am Samstagnachmittag. Eines Tages übertrug er mir als der Ältesten die Aufgabe, den Hund zu füttern. Ich war stolz darauf. Und er zeigte uns größeren Kindern die Kunst des Schuhputzens: Zuerst mit einem nassen Lappen den Dreck wegwischen. War der letzte Schuh der unendlich langen Reihe sauber, war der erste trocken genug, um mit der richtigen Farbe eingecremt zu werden; und schließlich das Glanz-Bürsten ... Die Schuhreihe verlief von einer Seite der Waschküche bis zur anderen und die darin vorhandenen Schuhnummern reichten so ungefähr von der Nummer 23 bis zur Nummer 46. Über diese Aufgabe war ich weniger beglückt.

Am Morgen, nachdem uns Opa diese Arbeiten übergeben hatte, stand er nicht mehr aus dem Bett auf, er wurde immer schwächer und zwei Wochen danach starb er, oben im ersten Stock in seinem Schlafzimmer. Ich war damals zehn Jahre alt und sehe ihn noch weiß und tot auf seinem Bett liegen, alle waren ernst und feierlich und während der Tage bis zu seiner Beerdigung kamen ständig Nachbarn und Verwandte, um ihn zu verabschieden.

Wir sind aber nicht nur Bauerntöchter, wir sind vor allem und ganz konkret Töchter unserer Eltern. Darüber erfahren wir wohl die stärkste Prägung. Ich bin meinen Eltern dankbar, dass sie uns das vielleicht Wichtigste fürs Leben mitgegeben haben: das Gefühl der Geborgenheit und die Sicherheit, geliebt zu werden. Ihre Lebensgrundlage ist der christliche Glaube, aber sie erzogen uns, was für die damalige Zeit und Lebenssituation recht ungewöhnlich war, in relativ großer Freiheit. Und so stellten wir als Heranwachsende vieles oder alles in Frage, diskutierten viel und heftig, vor allem mit unserer Mutter.

Ich erinnere mich an stundenlange nächtliche Gespräche, wir saßen dabei halb auf den Küchenschränkchen, denn eigentlich waren wir gerade beim Geschirrspülen gewesen oder auf dem Weg ins Bett, wenn die Diskussion begann. Bei diesen Debatten wurde kaum ein heißes Thema ausgelassen. Heute, im Rückblick, bewundere ich meine Mutter, wie sie uns immer ernst genommen hat, auch wenn wir die verrücktesten und unreifsten Auffassungen verteidigten, wie sie sich einließ auf unsere pubertären Angriffe, auf unsere Kritik, wie sie sich in Frage stellen ließ, auf eine so offene und ehrliche Art und Weise, dass sich auch einiges an ihren Meinungen, in ihrem Glauben dadurch veränderte. Meinem Vater lag dieses heftige Streiten nicht so sehr und er fühlte sich leicht angegriffen von unserer frechen, nichts tolerierenden Halbstarken-Art.

Während der Kindheit wurde noch nicht so viel in Frage gestellt. Vor dem Einschlafen habe ich Gott immer meine kindlichen Wünsche vorgetragen. Kaum einmal vergaß ich, Gott zu bitten, es möge keinen Krieg geben. Die Erzählungen meiner Eltern, die den Zweiten Weltkrieg als Kinder und Heranwachsende erlebt hatten, beeindruckten mich zutiefst. Mein Vater hatte seine zwei Brüder verloren und die vielköpfige Familie meiner Mutter lebte ein Jahr lang in Höhlen, weil bei einem Bombenangriff ihr Haus zerstört worden war. Im Wohnzimmer, im Bücherregal, standen auch einige deftige Bildbände über jene Zeit, an die ich mich noch äußerst lebhaft erinnere.

Später dann, während meiner Jugendjahre, beteiligte ich mich an der pazifistischen Bewegung gegen die Stationierung atomarer Sprengköpfe. Gewaltfreiheit, wie sie zum Beispiel Ghandi und sein Schüler Lanza del Vasto verstanden, galt für mich als theoretisches und praktisches politisches Konzept. Ich erinnere mich an heiße Diskussionen mit Freunden, die die Aktion „Waffen für El Salvador" unterstützten. Für mich war immer klar, dass Waffen nur Hass und Leid erzeugen. Wie können wir die Welt verändern mit Hass und Leid? Das gab es doch schon immer im Überfluss. – Nun ist mein zehnjähriger Sohn ein leidenschaftlicher Sammler von Spielzeugpistolen. Die Ironie des Lebens.

Regelmäßig am Freitagabend bat ich in meinem Abendgebet um

Folgendes: „Lieber Gott, mach, dass der Samstag schnell vorbeigeht!"
Der Samstag war Hausputztag. Während meine Schulfreundinnen
den Nachmittag im Freibad verbrachten, stand für uns Hausputz
auf der Tagesordnung. Wie unerträglich langsam verstrichen die
Stunden, „eingesperrt" im chaotischen Spielzimmer, in dem sich die
Woche über fünf Kinder ausgetobt hatten. Und nun sollte ich Ordnung
schaffen. Aber wie? Es schien unmöglich, denn die Kinderbücher, die
Spiele, die da überall herumlagen, zogen mich völlig in ihren Bann,
sobald ich mich ihnen in der festen Absicht näherte, sie wegzupacken
in eine Kiste oder Schublade. So vergaß ich mich oft stundenlang in
einem Buch, ständig aber nagte das schlechte Gewissen an mir und
erlaubte es mir nicht, mich wohl zu fühlen. Der Nachmittag verstrich
oft, ohne dass ich das Chaos in den Griff bekam. Hilflos und verzweifelt schob ich oft zum Schluss alles unsortiert unter das Sofa.

Ein Konzept aus meiner süddeutschen bäuerlichen Kindheit,
das tief sitzt, ist die Erziehung zur Tüchtigkeit. „Der hat aber eine
tüchtige Frau gefunden!" Tüchtigkeit ist wichtiger als Intelligenz,
Herzlichkeit, Ehrlichkeit, Fröhlichkeit, Schönheit, ja sogar die Ge-
sundheit wird in den Dienst der Tüchtigkeit gestellt. Freizeit gibt
es praktisch nie, außer am Sonntagnachmittag. Faulheit ist eine der
schlimmsten Untugenden.

Jahre später, in einer anderen Kultur lebend, fiel mir auf, wie viele
verschiedene Ausdrücke es in der fremden Sprache gab für das Wort
Faulenzen, für das Nichtstun. Kaum eine Kultur besetzt Müßiggang
so negativ wie die deutsche. Ich werde sicher noch einige Jahre brau-
chen, um rechtzeitig auf meinen Körper zu hören, wenn er mir zu
verstehen gibt, er sei müde, und daraufhin auszuruhen, zu faulenzen – auch mitten in einem Berg von Arbeit –, ohne ein schlechtes
Gewissen zu bekommen.

Ein weiterer Gedanke zu diesem Thema (zu Tüchtigkeit und Faulheit) wurde mir in den letzten Jahren immer klarer: Seit mehr als
zehn Jahren verdiene ich den Lebensunterhalt für meinen Sohn und
mich als Kunsthandwerkerin. Wir leben mit einer guten Freundin
und deren Sohn in einer Wohn- und Lebensgemeinschaft. Sie ist
Malerin. In meinem näheren Umfeld kenne ich recht viele künstle-

risch tätige Menschen. Dabei erkenne ich immer deutlicher, wie die Prämisse „erst die Arbeit, dann das Vergnügen" oft dem kreativen Ausdruck im Wege steht. Das „Schwanger-Gehen und schließlich Gebären" von Neuem braucht Zeit und Raum fürs Ausprobieren, fürs spielerische Tun ohne ein konkretes Ziel oder Muss vor Augen, für die Kontemplation.

Und das gilt nicht nur für das Entstehen von Neuem im künstlerischen Ausdruck, sondern im Leben schlechthin. Ich will mein Leben nicht festen Vorstellungen und Gewohnheiten, klar abgesteckten Zielen unterwerfen. Ich spüre, wie wichtig Offenheit ist, um Neues entstehen zu lassen. Ich will der Kreativität des Lebens Zeit und Raum lassen, ohne festhalten zu müssen, ohne eindeutig dirigieren oder Konkretes suchen zu wollen. Ich will alle Sinne so offen und frei halten, wie ich nur kann, um zu sehen, um zu finden ...

Vor einigen Tagen, auf Besuch bei meiner Schwester, fand ich an deren Toiletten-Pinnwand ein Zitat von Pablo Picasso, das diese Gedanken, nein, eigentlich dieses Lebensgefühl, wundervoll ausdrückt:

„Ich suche nicht, ich finde.
Suchen, das ist Ausgehen von alten Beständen
Und das Findenwollen von bereits Bekanntem.
Finden, das ist das völlig Neue
Alle Wege sind offen, und was gefunden wird
Ist unbekannt.
Es ist ein Wagnis, ein heiliges Abenteuer.
Die Ungewissheit solcher Wagnisse
Können nur jene auf sich nehmen,
Die im Ungeborgenen sich geborgen wissen,
Die in der Ungewissheit der Führerlosigkeit
Geführt werden,
Die sich vom Ziel ziehen lassen
Und nicht selbst das Ziel bestimmen."

Dazu braucht es das Loslassen und das Vertrauen. Wenn ich auf meine nun schon gelebten Jahre zurückblicke, erkenne ich, dass der

Prozess des Loslassens im Grunde immer wunderbare Konsequenzen hat. Schmerzen gehören dazu und auch Angst, aber ich will es auch aus diesem Blickwinkel sehen: etwas Neues wird geboren, kein Grund zur Bitterkeit. Das Leben, der Lebensprozess ist nichts anderes als Geburt, Wachstum, Sich-Entwickeln, Sterben, Geburt …. Der einzige feste Punkt für mich ist das Wissen, dass alles sich ständig verändert. Mein Leben ist unstabil, unverplanbar, spontan, unsicher tastend, ständig dem unsteten Moment des Gleichgewichts nachstrebend, inmitten der unaufhörlichen Bewegung. Manches Mal siegt das Gefühl der Unsicherheit, der Wunsch nach Festem, Haltbarem, Dauerhaftem. Aber wenn es mir gelingt, mein Wünschen, mein Denken, mein Kontrollieren-Wollen aufzugeben, dann kann ich diese Beweglichkeit, diese verletzliche Offenheit und tastende Unsicherheit wie ein Gewiegtwerden im Lebensstrom empfinden; ich kann tief durchatmen, weil ich den Lebenspuls spüre. Dann weiß ich, das ist für mich das wirkliche Glück.

Zum ersten Mal in meinem Leben wurde mir das bewusst in der Zeit, als der Vater meines Sohnes und damaliger Lebenspartner sterbenskrank wurde. Ich war im siebten Monat schwanger. Er starb drei Wochen vor der Geburt unseres Kindes. Da erlebte ich Tod und Geburt so nahe, dass ich nicht anders konnte, als einfach nur loslassen, von allen Plänen, allen Vorstellungen, allen Sicherheiten, von dem Partner an meiner Seite, den es in andere Welten zog. Da begriff ich – und es war für mich wie eine Erleuchtung –, dass Glück nicht bedeutet, das im Leben zu erreichen, was wir anstreben, es bedeutet auch nicht, ohne Schmerz und ohne Leid zu leben. Glück hat etwas zu tun mit einer inneren Akzeptanz dessen, was unser Leben ist, was das Leben uns bringt. Und Leben bedeutet: Ständig ist alles in Änderung begriffen, nichts ist fest, nichts bleibt. Leben ist überraschend. Ich will entspannt sein, diesen Änderungen folgen können ohne zu widerstreben, nachgeben wie ein Rohr im Wind, mich mitreißen lassen wie ein Surfer in den Wellen, geschehen lassen, nichts verfolgen müssen, kein unverrückbares Ziel ständig vor Augen, die Kontrolle aufgeben, für Neues offen sein, es bestaunen, es nicht fürchten. In diesem täglichen offenen, beweglichen Annehmen liegt das Glück. Plötzlich muss ich nicht mehr festhalten, zusammenhalten, durchhalten, zurückhalten ... eine Last fällt von mir, ich nehme teil, bin Teil des Lebens.

Bin ich denn nun als Apfel sehr weit von dem Stamm gefallen, von dem ich abstamme? In vieler Hinsicht sicherlich, besonders, da dazu noch die geeigneten Winde wehten. Sein Stamm jedoch, seine Herkunft, prägen den Apfel ganz tief in seinem Inneren.

Das blaue Kleid aus Jersey

*„Ich kann mich noch daran erinnern, als man mir
zu meiner Firmung ein schickes Kleid nähen ließ.
Ich ging gerne zur Anprobe. Aus einem schönen
blauen Stoff, der mit gelben Punkten
verziert war, wurde mir was
Schickes genäht.“*

Der „ledige" Geschwisterhof hatte ein Ende, als meine
Eltern heirateten. Mein Vater war bereits dreiundfünfzig und meine
Mutter dreißig Jahre alt. Mein Vater hatte erst so spät geheiratet, da er
als Soldat am Zweiten Weltkrieg teilgenommen hatte. Vor allem aber
gab es auf dem Hof seine beiden ledigen Schwestern und denen war
keine Frau gut genug für den Bruder. Erst als die Schwestern, die auch
beide schon Mitte fünfzig waren, einsahen, dass der landwirtschaftliche Betrieb ohne Nachfahren keine Zukunft hatte, waren sie mit einer
Heirat einverstanden. Allerdings blieben sie im gleichen Bauernhaus
und beanspruchten drei Zimmer für sich.

Meine Mutter brachte schon eine Tochter von sieben Jahren mit
in die Ehe. Mein Vater freute sich darüber und nahm sie an, als wäre
sie sein eigenes Kind. Ein Jahr nach der Hochzeit meiner Eltern kam

mein Bruder zur Welt, und zwei Jahre später gesellte ich mich dazu. Nach vier Jahren kam dann noch ein Bruder. Mein Vater war sehr stolz auf alle seine vier Kinder, und er nahm sich trotz der vielen Arbeit, die auf einem großen Hof bewältigt werden musste, viel Zeit für uns. Ich erinnere mich noch gern an die schönen Stunden, wenn wir gemeinsam spielten.

In unserer großen Küche stand eine Eckbank und auf deren Ablage lag ein Stapel Gesellschaftsspiele. Jeden Tag durfte ein anderes Kind bestimmen, was wir spielten. Da das Wohnzimmer nur am Sonntag geheizt wurde, fand das Familientreffen immer in der Küche statt. Die beiden ledigen Schwestern gesellten sich auch dazu, obwohl sie ja ein eigenes Reich hatten. Doch dort wäre ihnen zuviel entgangen.

In unserem kleinen Dorf (sechshundert Einwohner) gab es zur damaligen Zeit zwei Lebensmittelgeschäfte. Vater hat uns Kinder immer ermahnt, wenn wir einkaufen gingen, dass wir nichts Süßes kaufen sollten, dafür lieber Obst. Die Früchte durften wir dann beim Spielen essen. Meistens machten wir aus dem Obstessen nochmals ein Spiel, zum Beispiel wenn wir Mandarinen hatten, bastelten wir daraus einen Zug und jeder durfte ein „Abteil" essen – bis nichts mehr übrig war. Oder bei den Weintrauben – wer so ungefähr zwanzig Stück am schnellsten verschlungen hat und danach als Erster seine Zunge zeigen konnte, der war Sieger. Auch das Kastaniensammeln im Herbst war eine unserer großen Leidenschaften.

Neben unserem Hof in der Mitte des Dorfes lag eines der beiden Wirtshäuser des Ortes, die „Friedenslinde". Im Hofraum der „Friedenslinde" standen zwei große Kastanienbäume. Schon in aller Frühe stand ich auf, um die begehrten Kastanien zu sammeln. Wenn es bei Nacht einen Sturm gegeben hatte, konnte man viele vom Boden klauben. Eimerweise schleppte ich sie nach Hause. Zuerst wurden sie der Größe nach sortiert, dann spielten wir mit ihnen. Die größten wurden zu „Bullen", die mittleren waren die „Kühe" und die kleinen die „Kälbchen". Wir fühlten uns bei dem Spiel als große Bauern. In der Adventszeit habe ich die Kastanien zum Jäger gebracht, der sie an die Rehe verfüttert hat. Ich bekam dafür ein kleines Trinkgeld.

Meine Mutter hatte viel Arbeit in Haus und Hof, denn die Tanten waren hauptsächlich für den Stall und die Außenarbeiten zuständig. Wir waren allein schon acht Leute am Tisch, für die sie kochen musste.

Mein Vater war gelernter Landwirt, das war damals schon etwas Besonderes. Seine Leidenschaft war das Bauen, das Schreinern, und auch sonst war er sehr geschickt. Er hat uns Kindern ein fahrbares Häuschen gebaut, mit einer Tür zum Einsteigen und drei Fenstern zum Hinausschauen. Nur die Malerarbeit, die hat er vergeben. Das Häuschen konnte man an den Traktor hängen und damit bei Festumzügen durch die Straßen ziehen. Das Häuschen gibt es heute noch.

Als ich drei Jahre alt war, kam ich in den Kindergarten. Früher war es üblich, dass man die Kinder schon früh in den Kindergarten schickte, denn die Eltern hatten genügend zu tun mit den Kühen, den Schweinen, Enten und Hühnern, dem Gras, Getreide und den Kartoffeln.

Im Kindergarten wurden fünfzig Kinder von einer einzigen „Tante" betreut. Da spielte jeder mit jedem, ob einem das gefiel oder nicht. Zur Mittagszeit gingen wir nach Hause und kamen am Nachmittag zum Schlafen wieder. Wehe man hat nicht geschlafen, wenn die Tante ihre Runde drehte. Oft habe ich mich schlafend gestellt. Überhaupt, wenn jemand nicht nach ihrer Pfeife tanzte, dann drohte sie mit dem „schwarzen Loch". Das war die Kellertreppe. Ohne Licht – versteht sich. Auch ich habe das schwarze Loch kennen gelernt.

Beim Nachhauseweg vom Kindergarten überquerte ich eine kleine Brücke, die mich im Winter immer faszinierte. Dann war das Geländer zugefroren und ich schleckte an den Eiszapfen. Doch einmal blieb meine Zunge an der Eisenstange kleben und ich habe verzweifelt nach Hilfe gerufen. Auch wenn der Bach zugefroren war, machten wir so manche Rutschpartie, ohne Schlittschuhe. Die Kleider waren oft klitschnass, sie wurden dann in der großen Küche am Herd getrocknet und am nächsten Tag wieder angezogen.

Als kleines Mädchen, ich ging noch nicht zur Schule, sang ich sehr gerne. Ich nahm das Postleitzahlenbuch in die Hand, oft verkehrt herum, lief damit am Futtertisch der Kühe entlang und sang ganz laut. Was ich gesungen habe, war kein bekanntes Lied, sondern ein selbstkomponiertes.

Auf die Schule freute ich mich. Da saßen wir nun. Elf Erstklässler mit der zweiten und dritten sowie der vierten Klasse zusammen. Und wieder gab es nur eine Tante, eine Lehrerin, die alle Klassen unterrichtete. Eine Klasse musste leise lesen, die andere basteln, die nächste schreiben und eine wurde unterrichtet. Eine Lehrkraft beaufsichtigte und unterrichtete gleichzeitig fünfzig Schüler in einem Raum. Die Lehrerin war sehr nett. Ab der dritten Klasse fuhren wir mit einem Bus in den Nachbarort. Dort waren wir dann etwa fünfundzwanzig Kinder. Nach der sechsten Klasse wechselte ich auf die Realschule. Hier hätte ich mich auf meinen Hosenboden setzen und mehr lernen müssen. Doch ich hatte dafür keine Zeit, da die Arbeit in Haushalt und Landwirtschaft wichtiger war; so wechselte ich nach einem Jahr zurück an die Hauptschule. Dort machte ich ohne zu lernen den qualifizierenden Abschluss.

Der Schulweg war ziemlich weit, so beeilten wir uns am Morgen – auf dem Nachhauseweg dagegen schlenderten wir ganz gemächlich. Meine gleichaltrige Freundin und ich hatten uns dabei immer sehr viel zu erzählen. Sie war für mich eine große Hilfe, da sie zu Hause eine Oma hatte, die den ganzen Haushalt machte. Ich hingegen kam von der Schule und in der Küche stapelte sich ein riesengroßer Berg Geschirr, der sich vom Vorabend, von Frühstück und Mittagessen angesammelt hatte. Ich spülte und meine Freundin trocknete das Geschirr ab. Danach kehrte ich unsere Küche und wischte den Boden. Ein tägliches Ritual, das gut eineinhalb Stunden dauerte. Die Küche war ziemlich groß, daher mussten wir sehr viel laufen, um das Geschirr in den Schränken zu verstauen.

In unserer großen Küche gab es auch einen elektrischen Brotbackofen. Einmal im Monat wurde er in Betrieb genommen. Meine Mutter hatte am Tag zuvor das Mehl in einer großen Wanne mitten in der Küche auf einem Schemel postiert und den Teig angesetzt; über Nacht konnte er dann gehen. Am nächsten Morgen begann meine Mutter, den Teig zu verarbeiten und zu kneten. Ich sehe noch vor mir, wie sie vor Anstrengung schwitzte und die Schweißperlen in den Teig tropften. Später, wenn die Brote im Brotbackofen buken, durchzog ein herrlicher Duft das Haus. Doch der Backtag war immer auch ein Fest für uns Kinder, denn am Schluss bekamen wir, da Mutter die Restwärme ausnutzen wollte, noch „Weihen" oder „Dinneten", kleines aus dem Teig geformtes Gebäck. Dazu gab es meist eine deftige Suppe. Vor dem Essen wurde immer ein Tischgebet gesprochen und mit dem Vaterunser und dem Gruß Marias beendet.

Auch hatten wir früher Schweine, die ausschließlich für unseren Haushalt bestimmt waren. Meistens wurden diese Schweine recht fett, aber das war gewollt. Denn das Fett lieferte die Energie für die Familie, die in der Landwirtschaft fest anpacken musste. Das Schlachten war immer ein Fest. Auch die Menschen, die uns das Jahr über halfen, bekamen dann etwas ab vom frisch Geschlachteten. Ich gab meistens die Pakete, bestehend aus rotem und weißem Presssack sowie einem Stück Fleisch und Speck, bei den Helfern ab. Eine Frau, die für uns immer Kartoffel geharkt hat, habe ich auch beliefert. Bei ihr zu Hause wusste ich nie, ob die „Speis" – die Vorratskammer – im Klosett oder das Klosett in der „Speis" war. Als Dankeschön fürs Vorbeibringen bekam ich nämlich immer Bonbons, die sie aus der Speis oder vielleicht auch aus dem Klosett holte.

In unserem Dorf gab es zwei Näherinnen, die auf die „Stör" gingen, das heißt zu den Familien nach Hause, später aber bei sich daheim nähten. Früher hat man immer selbst den Stoff gekauft, um sich ein Sonntagsgewand nähen zu lassen, und das war ganz anders als das Schulgewand oder die Kleidung für zu Hause.

Ich kann mich noch daran erinnern, als man mir zu meiner Firmung ein schickes Kleid nähen ließ. Ich ging gerne zur Anprobe. Aus einem schönen blauen Stoff, der mit gelben Punkten verziert war, wurde mir was Schickes genäht. Die Knöpfe waren passend dazu ausgesucht worden. Der Stoff war Jersey. Zu diesem Kleid fertigte die Frau auch die passende Jacke an. Früher nähten die Schneiderinnen schon aufwändig. Da hat alles gestimmt.

An Ackerbau hatten wir Getreide und Kartoffeln. Beim Harken oder Ernten der Kartoffeln halfen uns tüchtige Frauen. Alles war Handarbeit. Nur zur Ernte wurde ein Kartoffelroder über den Acker gezogen, der die Kartoffeln maschinell aus dem Boden holte. Wir Kinder wurden damals auch eingespannt: Kartoffeln klauben und zu Hause sortieren.

Eine Sortiermaschine wurde eingesetzt, die man von Hand betrieben hat. Je nach ihrer Größe fielen die Kartoffeln durch die unterschiedlich weiten Öffnungen der Maschine. Die beschädigten mussten wir in einen großen Waschkessel tun und für die Schweine kochen, auch die Gänse, Enten und Hühner wurden damit gefüttert.

Als ich zehn Jahre alt war, durfte ich zum ersten Mal Ferien machen, und zwar bei Verwandten, die fünfundzwanzig Kilometer weit entfernt wohnten. Ach, war das schön. Da die Verwandten keine Kinder hatten, wurde ich ganz besonders verhätschelt. Sie hatten Zeit für mich und mit ihnen kam ich zum ersten Mal in meinem Leben auf eine Wirtschaftsausstellung, wo es mir sehr gut gefiel. Aus dieser Zeit habe ich heute noch kleine Brotzeitbrettchen in meinem Haushalt.

Nach diesen Ferien war meine Kindheit beendet, da mein Vater an seinem Geburtstag an Herzversagen starb.

Da meine Mutter keinen Führerschein hatte, half meine ältere Schwester viel in der Außenlandwirtschaft, genauso wie mein großer Bruder. Mein jüngster Bruder wurde damals schwer krank, die Ärzte von München bis Murnau vermuteten Kinderlähmung, da er von heute auf morgen nicht mehr gehen konnte. Das waren große Sorgen für meine Mutter. Bis wir die Adresse eines Klosterbruders bekamen. Und er konnte meinem Bruder endlich helfen, als er feststellte, dass der Junge Rheuma hatte. So blieb der kleine Bruder künftig von der Arbeit verschont.

Ich musste immer mehr im Haushalt arbeiten, nicht nur spülen und die Küche aufräumen und putzen, sondern auch bügeln, backen und ich beaufsichtigte das erste Kind meiner Schwester, die ja in der Landwirtschaft mithelfen musste. Die Hausaufgaben machte ich nebenbei. Auch während der Stallzeit musste ich helfen, Stroh herunterwerfen, Sägemehl in Kübel fassen, Heu herrichten und durch die Stallluke hinunterwerfen; später kam dann die Fahrt zur Molkerei hinzu. Das war immer nett.

In unserem Dorf gab es eine kleine Molkerei, an die wir Bauern zweimal am Tag die Milch ablieferten, im Laufe des Vormittags holte ein Tankzug die Milch ab. Die Molkerei war nur hundert Meter von unserem Hof entfernt. Dort trafen sich die Bauern nicht nur zum

Milch abliefern, sondern auch zum „Hoigata", das heißt sie unterhielten sich ausgiebig. Abends machte die Molkerei um sechs Uhr auf und je nachdem, wie schnell die Bauern waren, um acht Uhr wieder zu. Manchmal kam es vor, dass ich bei den Ersten war und mit den Letzten nach Hause ging, da ich mich „verratscht", also zu lange geschwatzt hatte. Neuigkeiten wurden an der Molkerei auf großen Tafeln angeschlagen und verbreitet. Dort hatte der Kirchenanzeiger seine Tafel, dann kam die gemeindepolitische, an einer anderen waren sonstige Anzeigen wie Hochzeitseinladungen oder die, wann eine Kuh im Schlachthaus ausgewogen wurde, und halt alles, was im Dorf von Interesse war, angeschlagen.

Um die Milch abzugeben, fuhr man mit seinem Karren in die Molkerei hinein. Ich kann mich noch daran erinnern, dass die Milch anfangs von Hand umgeleert wurde. Mit einem Eimer schöpften wir sie in einen großen Behälter, wo sie gleichzeitig gewogen wurde. Später wurde die Milch dann ausgesogen; das war eine Erleichterung, da man beim Ausleeren nicht mehr mithelfen musste. In riesengroßen Wannen wurde sie kühl gehalten und die abgelieferte Menge in eine Monatskarte geschrieben. Die Karte steckte in einem kleinen Kasten und jeder Lieferant hatte seine Nummer. Oft schaute man vorwitzig nach, was der Nachbar an Milch abgeliefert hatte. Auf der Karte wurde auch vermerkt, was man an Milchprodukten kaufte. Ganz am Anfang gab es nicht viel Auswahl, nur ein oder zwei Sorten Käse, der wurde jeweils von einem großen Laib heruntergeschnitten und auf eine Waage mit Gewichten gelegt. Das war immer schön anzuschauen. Und Käseduft lag in der Luft. Ach, das war eine schöne Zeit.

Was mir ebenfalls gefiel, war das Kühehüten. In meinem Dorf war es noch Brauch, dass man die Kühe im Frühjahr ausgetrieben hat. Fast jeder Bauer machte das so. Man erkannte die Kuhherden schon am Läuten der Kuhglocken. Das erste Mal Austreiben war sehr aufregend. Alle mussten mithelfen. Man versuchte die Kühe zuerst alle aus dem Stall zu treiben und dann im Hofraum aufzuhalten, bis alle beieinander waren. Die Kühe machten Sätze vor Freude, weil sie umherspringen konnten und frei von der Kette waren, an der sie im Winter angebunden im Stall standen. Jeden Morgen wurden die Kühe geputt und gestriegelt, und man hängte ihnen die Kuhglocken um. In unserer Region gab es früher nur Braunvieh. Das gehörte zum schönen Allgäu. Wenn die ganze Herde beieinander war, schauten wir auf die Straße, ob nicht eine andere Viehherde unterwegs war, wenn nicht, konnten wir die Kühe laufen lassen. Da ging es ab. Wir mussten gut springen können, um die Herde beieinander zu halten. Die ersten zwei Tage waren immer aufregend. Früher gab es noch nicht so viel Verkehr, da trieb man die Kühe quer durchs Dorf. Unsere Wiesen waren in alle Himmelsrichtungen verstreut. Wenn wir dann an dem Weideplatz angekommen waren und die Kühe friedlich waren, hatten wir das meiste schon geschafft. Als Kinder mussten wir dann nachmittags auf die Herde aufpassen. Denn wenn die Bauern ihre Kühe am Abend vor dem Melken wieder heimholten, konnte es vorkommen, dass sich eine aus unserer Herde zu den anderen gesellte und mit denen nach Hause wollte. Denn beim Nachhausetreiben kam es immer wieder vor, dass wir unsere Herde an einer Kreuzung stoppen mussten, da ein anderer Bauer auch seine Herde heimtrieb. Das kann man sich heute gar nicht mehr vorstellen. Wir hatten damals schon fünfundzwanzig Kühe, was viel war. Einmal sollten meine Freundin und ich auf die Kühe aufpassen. Wir hatten es uns gemütlich gemacht, eine Decke ausgebreitet, unsere Brotzeit gegessen und haben Karten gespielt. Uns war es nicht aufgefallen, dass ein Teil der Kühe ausgebrochen und nach Hause gelaufen war. Das gab Ärger.

Der schönste Weideplatz für die Kühe und Spielplatz für uns Kinder war eine Wiese, auf der ein alter knorriger Baum stand. Diesen Baum werde ich nie vergessen. Wir schwangen uns auf ihn hinauf. Er hatte so viele Äste und Verzweigungen, dass wir ihn wie ein Haus einteilen konnten: Da gab es ein Wohnzimmer, eine Küche, Schlafzimmer, Kinderzimmer, Bad und WC. In der „Toilette" hat sich ein Ast so schön gebogen, dass man meinte, man sitze tatsächlich auf dem Klosett. Was habe ich auf diesem Baum gesessen und geträumt.

Wenn mein großer Bruder am Morgen Gras mit dem Traktor, Mäher und Ladewagen holte, musste ich immer zum Nachrechen mitfahren. Das hieß früh aufstehen. Ich hatte einen großen Zugrechen dabei und hängte mich mit einer Hand hinten an den Ladewagen und mit der anderen zog ich den großen Rechen. Meine Augen hielt ich am Boden, um zu sehen, ob auch ja keine Maus erschien. Denn vor denen hatte ich große Angst. Sogar vor toten Mäusen sprang ich davon. Ich mag sie bis heute nicht. Auch wenn das Heu eingefahren wurde, mussten wir alle helfen. Entweder rechte man auf der Wiese nach oder bediente die Heuzange oder man musste auf den Heustock, um das herunterfallende Heu zu verteilen.

Wir hatten in unserer Kindheit einen Dackel namens Waldi, außerdem Katzen. Der Hund wuchs mit uns auf und wir haben viel mit ihm gemeinsam erlebt. Er wollte überall dabei sein. Abends versteckte er sich gerne in der Holzschublade vom Holzherd. Da war es immer so schön warm. Heute kann ich es verstehen. Ich sitze auch sehr gern am Kachelofen und wärme mich.

Jeden Sonntag mussten wir zur Kirche gehen. Das war Pflicht. Die Leute hätten einen ja vermisst, wenn der Platz in der Kirchenbank nicht besetzt gewesen wäre. Früher hatte jede Familie ihren angestammten Platz in der Kirche, den sie an die nächste Generation weitergab. Als Kinder mussten wir in die vorderen Kinderbänke, als Jugendliche durften wir auf der Empore neben der Orgel sitzen. Das war weitaus besser, denn dort konnten wir uns unterhalten. Der Friedhof war um die Kirche angeordnet. Es war schon ein mulmiges Gefühl, wenn man abends noch auf den Friedhof musste, um das Licht anzuzünden oder bei Frost die Blumen abzudecken.

Als ich aus der Schule kam, hätte ich gerne Fachverkäuferin in einer Metzgerei gelernt, doch meine Schwester mit ihren drei Buben konnte nicht mehr zum Helfen kommen, da der Älteste in die Schule kam, so musste ich die Hauswirtschaftsschule besuchen. Die praktische Ausbildung konnte man auf dem elterlichen Hof absolvieren. Doch auch dieser Beruf gefiel mir sehr gut. Man lernt viel als Hauswirtschafterin. Nicht nur kochen, putzen, backen, sondern auch Gartenarbeit, Kinderpflege, Buchführung. Aber nach der Lehre wollte ich gern noch was ganz anderes machen und ging als Büroanlernling in eine Rechtsanwaltskanzlei. Dort gefiel es mir am Anfang sehr gut, doch im Laufe der Zeit störte es mich, dass es bei den Klienten immer nur um Streitereien ging. Auch die Aussicht aus dem Büro war frustrierend. Entweder blickte ich auf ein großes Kirchendach oder nur auf Beton. Mir fehlte das Grün und die Natur. Nach zwei Jahren hatte ich genug und begann als Betriebshelferin zu arbeiten. Da konnte ich selbstständig handeln und wurde in jedem Einsatz dringend gebraucht. Endlich wieder Natur und normale Menschen um mich herum. Fünf Jahre war ich dort tätig, doch nach meiner Heirat mit einem Landwirt gab ich diesem Job auf.

Meinen Mann lernte ich schon in der Land- und Hauswirtschaftsschule kennen. Doch zu der Zeit war ich für ihn noch zu temperamentvoll – und er war mir zu ruhig. Aber nach sieben Jahren passten wir gut zusammen und einer Freundschaft stand nichts mehr im Wege. Aus Freundschaft wurde Liebe und nun sind wir seit fünfzehn Jahren verheiratet. Mein neues Zuhause ist kein Dorf, sondern ein Weiler, also ein Zusammenschluss von mehreren Höfen, und ich wohne dort wunderschön. Denn unser Hof steht allein auf einem Berg und rundherum gibt es nur Wiesen. Am Anfang habe ich die Nachbarn vermisst, die ich in meinem Dorf hatte, doch im Laufe der Zeit begann ich, das Alleinsein so richtig zu genießen. Ich kann tun und lassen, was ich will. Das ist wunderbar. Wir haben einen Sohn, der uns viel Freude macht. Er ist vierzehn Jahre alt und unterstützt uns sehr. Auch er hat Freude an der Landwirtschaft.

Nachdem ich meine Geschichte geschrieben habe, stelle ich fest, dass ich mehr aus meiner Kindheit und Jugend berichten kann, als aus meinem jetzigen Leben. Zum einen bin ich ja noch im Hier und Jetzt, habe die Gegenwart noch nicht abgeschlossen. Außerdem ereignet sich nicht allzu viel.

Denn in der Landwirtschaft hat man einen geregelten Tagesablauf, der jeden Morgen mit der gleichen Arbeit beginnt und abends wie gewohnt aufhört. Der Kreislauf an Tätigkeiten wiederholt sich jährlich. Mangel an Arbeit habe ich auch nicht, da ich einen großen Gemüse- und Blumengarten pflege, Selbstversorger mit Brot und Butter bin und mich im Ehrenamt engagiere.

Was mich geprägt hat, ist mein Gottvertrauen. Ich denke, er hat uns in der Hand und wird alles recht machen. Wir haben in unserem

Leben bestimmte Situationen zu durchleben und das Beste daraus zu machen. Ich bin auf dem Weg dahin. Glück und Harmonie bedeuten für mich Momente einer tiefen inneren Befriedigung, wenn man anderen geholfen oder sich für sie eingesetzt hat. Auch ein freundliches Wort, ein Danke oder ein Lächeln machen mich glücklich. Es ist nicht schwer, die Befriedigung aus der täglichen Arbeit zu ziehen, froh zu sein, wenn die ganze Familie gesund ist und auch im Stall alles wohlauf ist. Glücksmomente erlebe ich auch, wenn sich die jeweilige Jahreszeit von ihrer schönsten Seite zeigt. Ich denke an die Bäume. Wie herrlich ist der Blütenstand, wie großartig die Sommerreife, wie faszinierend das Herbstlaub. Sogar der nackte Baum ist noch schön.

Wo ich wohne, habe ich bei klarem Wetter die ganze Alpenkette vor mir. Dann hält mich, wenn es die Arbeit erlaubt, nichts mehr. Da muss ich hinein, da geht mir das Herz über. Wie majestätisch sich die Berge zeigen und wie viel Kraft sie einem geben. Das Allgäu ist meine Heimat, hier sind meine Wurzeln; in der Landwirtschaft bin ich groß geworden und ihr fühle ich mich für immer verbunden.

Der Wunsch nach einem Sohn ist der Vater vieler Töchter

„Vater und Tochter waren ein gutes Team, da sie abhängig voneinander waren. Er war auf meine Anwesenheit angewiesen und ich lernte durch seine enorme Erfahrung."

Der Wunsch nach einem Sohn ist der Vater vieler Töchter. Mit mir begruben meine Eltern, beide Anfang vierzig damals, wohl die Hoffnung auf einen Sohn. Ich hatte drei ältere Schwestern – sieben, dreizehn und neunzehn Jahre älter. Als Nesthäkchen hatte ich es nicht immer leicht, wenn meine Schwestern ihre Erziehungskünste an mir ausprobierten. Heute bin ich stolz darauf, dass sie etwas halbwegs Ordentliches aus mir gemacht haben. Meine Mutter kam wohl bald nach meiner Geburt ins Klimaterium und litt sehr unter den physischen und psychischen Begleiterscheinungen.

So hat meine älteste Schwester für mich die Mutterrolle eingenommen und ist noch heute diejenige, mit der mich am meisten verbindet.

Meine Kindheit war eine glückliche Zeit, aber keine unbeschwerte. Fröhlich war ich wie ein ganz normales Kind, aber mit Sicherheit etwas ernster als meine gleichaltrigen Kameradinnen und Kameraden. Seit ich denken kann, ist immer eine Person in der Familie krank gewesen. Daher lernte ich schon recht früh, was „sich sorgen" bedeutet. Heute bin ich froh, die Gabe der Gelassenheit zu haben, die sich im Laufe meines Lebens entwickelt hat. Auch eine Hiobsbotschaft wirft mich nicht so schnell aus der Bahn. Meine Eltern haben ja durch ihre Erfahrung mit den Schwestern gewusst, dass ein Menschenkind sich durch eine gute Erziehung prächtig entwickelt. Erziehung ist in erster Linie Liebe und Vorbild und in gewissem Maße auch Führung. Ihr größter Wunsch war und ist es, ihren Kindern ein bleibendes Vermächtnis zu hinterlassen. Das sollte natürlich nicht ausschließlich aus materiellen Gütern bestehen, sondern sollte vor allem das Rüstzeug sein, um das Leben zu meistern. Sie waren streng mit sich und uns, forderten und beschenkten, lebten Fleiß und Bescheidenheit vor, lehrten uns Respekt und Achtung vor sich und anderen, waren gottesfürchtig und hatten ein Ziel: mich zu einer Bäuerin zu machen.

Mindestens einen halben Zentimeter höher trug ich mein Näschen, als ich mit vier Jahren zwar das Fahrradfahren noch nicht erlernt hatte, aber den Traktor vom vierten in den fünften Gang schalten konnte, obwohl das Getriebe noch nicht vollsynchronisiert war. Die Kupplung konnte ich nur mit beiden Beinen gleichzeitig bedienen und den Traktor brachte ich damals nur zum Stehen, wenn er ganz eben stand. Mein Vater vertraute nicht einem schnell fliegenden Schutzengel, sondern vor allem mir. Er war kein sehr gesprächiger Mann. An zwei Redewendungen von ihm erinnere ich mich aber sehr genau. Glaubte ich als Kind oder später als Jugendliche an meine Grenzen zu kommen und sagte: „Ich kann das nicht", entgegnete er: „Man kann alles, man muss es nur wollen." Hatte ich von etwas die Nase voll oder sollte Arbeiten erledigen, die mir nicht behagten, beschwerte ich mich mit den Worten: „Immer muss ich das machen." Die ernsten Augen und das lächelnde Gesicht vergesse ich

niemals, wenn er dann nachsichtig entgegnete: „Du musst nicht ...“
Ich muss wohl nicht erwähnen, dass ich daraufhin auch die lästigsten Aufgaben übernahm. Im Gespräch mit einer meiner Schwestern kommt das auch immer wieder zum Ausdruck: Uns Kindern wurde schon früh Verantwortung übertragen und wir lernten ebenso früh, was Zuverlässigkeit bedeutet. Gehört es nicht zu den besten Charaktereigenschaften, die jemand besitzt, wenn man sich blind auf ihn verlassen kann?

Die Schule meisterte ich ohne große Probleme. Meine Eltern wurden nur ein einziges Mal zum Lehrer beordert, als es darum ging, mich doch bitte ins Gymnasium zu schicken und nicht nur in die Realschule. Beide Elternteile befürchteten jedoch, eine zu gute schulische Bildung würde dazu beitragen, dass ich der Landwirtschaft den Rücken kehrte. Mit Sicherheit wäre ich zu einem ewigen Studenten geworden, denn die Schulbank zu drücken begeistert mich noch heute. Die Ferien waren mir immer verhasst. Ich litt gelegentlich darunter, dass meine Eltern nicht mit uns in den Urlaub fahren konnten. Sie vertrauten mir aber vollkommen und ließen mich zum Beispiel auch alleine in das mehrere Kilometer entfernte Freibad gehen. Vermutlich liegt es an meinen frühkindlichen Traktorfahrten, aber bis zum heutigen Tag bin ich sehr faul, was das Gehen anbelangt. Nur ein einziges Mal legte ich die mühselige Wegstrecke ins Schwimmbad mit dem Dreirad zurück, später stieg ich auf einen Roller um und zum Schluss lieh ich mir das Fahrrad meiner Schwester.

Jedes der Kinder hatte in der Familie seine Aufgaben und Pflichten. In den Sommerferien musste ich einen halben Tag mitarbeiten, der andere Teil des Tages stand zur freien Verfügung. Da ich ein notorischer Morgenmuffel bin, arbeitete mein Verstand schon damals in der Frühe nicht ganz so intensiv, weshalb meine Mithilfe eher am Nachmittag erwünscht war. Ich weiß nicht mehr, wann ich bemerkte, dass der Nachmittag ja eigentlich viel länger ist als der Vormittag, ich weiß nur noch, es dauerte sehr lange, bis ich draufkam.

Für meine eigenen Kinder, die ich allerdings nie bekam, hätte ich mir eine ebenso schöne Kinder- und Jugendzeit gewünscht, wie ich sie erleben durfte. Während sich meine Schulkameradinnen damit auseinander setzen mussten, welchen Berufsweg sie einschlagen wollten, konnte ich diese Zeit ganz anders nutzen, da ich ja genau wusste, was ich tun würde, da man mir ja immer wieder sagte: „Du bist also die zukünftige Bäuerin." So hatte ich Zeit und Muße, um der ersten großen Liebe nachzutrauern, als Rädelsführer Streiche in der Schule auszuhecken, mir aufreibende Schlagabtausche mit dem Englischlehrer zu liefern, Verantwortung als Klassen- und Schülersprecherin zu übernehmen und mich sehr intensiv um meine Freizeitgestaltung zu kümmern. Das Lernen fiel mir niemals schwer. Zu meinem Leidwesen – aus heutiger Sicht – genügte es, mit dem Schulbuch unter dem Kopfkissen schlafen zu gehen, um sich an die Klassenarbeit am darauf folgenden Tag zu wagen. Allerdings war das Gelernte nach einigen Wochen wieder weg.

Vor allem im letzten Jahr meiner Realschulzeit begegneten mir immer mehr Menschen, die mein Vorhaben, Landwirtin zu werden, für nicht gut hielten. Sie fragten mich allen Ernstes, ob ich meine Fähigkeiten beim Schweinefüttern, Rebenschneiden und Traktorfahren vergeuden möchte. Anstatt darüber nachzudenken, ob ich das tatsächlich wollte, entbrannte in mir die Leidenschaft, es den Unkenrufern zu zeigen. Ich entschied mich nicht nach reiflicher Überlegung für die Landwirtschaft, sondern ich folgte meiner Intuition. Wieder war es mein Vater, der mir den Weg zeigte. Er musste eine Fortbildung besuchen, um mich in seinem Betrieb ausbilden zu dürfen. Dort traf er einen anderen Kollegen, dessen Tochter sich zu einer Lehre als Winzerin entschlossen hatte. Er erzählte mir davon, und nachdem ich erfahren hatte, dass ich für diese Ausbildung nicht zu den Rindern nach Aulendorf musste, strich ich im Ausbildungsvertrag kurzerhand die Berufsbezeichnung Landwirtin und setzte die Bezeichnung Winzerin ein. Vielleicht sollte ich erklären, weshalb die Aussicht, nicht nach Aulendorf zu müssen, diesen spontanen Sinneswandel hervorrief.

Der elterliche Betrieb bestand damals neben Wein-, Getreide-, Zuckerrüben- und Obstbau auch aus „Steckdosentierchen", etwa 35 Mutterschweinen. Damit eine Schweinebäuerin auch etwas über Rinderzucht erfährt, gehörte ein mehrwöchiger Aufenthalt in einem Rinderbetrieb zum Ausbildungsinhalt. Als kleines Mädchen hatte ich wohl ein traumatisches Erlebnis. Meine Eltern betrieben Bullenmast in einem Anbindestall und es herrschte helle Aufregung, wenn sich so ein ausgewachsenes Tier losgerissen hatte. Ich musste dann immer in die Küche und konnte nur vom Fenster aus beobachten, dass einige Männer aus der Nachbarschaft dazukamen, um beim Einfangen des Bullen zu helfen. Mir wurde signalisiert, dass es sich um eine gefährliche Situation handelte. Wie sich Angst anfühlt, lernte ich erst kennen, als ich eines Tages ahnungslos in den Stall ging, um nach neugeborenen Ferkelchen zu sehen und dabei einem Bullen Auge in Auge gegenüberstand. Der Aufschrei meiner Mutter und das bleiche Gesicht meines Vaters ist mir noch heute gegenwärtig. Seither habe ich ein sehr ungutes Gefühl in der Magengegend, wenn ich einem Tier gegenüberstehe, das deutlich größer ist als ich.

Hochmotiviert und voll Enthusiasmus begann meine Lehrzeit. Meine Eltern hielten sich streng an die Vorgaben des Landwirtschaftsamtes und überwiesen mir monatlich die vorgeschlagenen hundert Mark Ausbildungsvergütung. Den Führerschein für Traktor und Motorrad hatte ich in der Tasche und ich war stolze Besitzerin eines kleinen Motorrads, für dessen Unterhalt ich allerdings selbst verantwortlich war. Ein Unding, die laufenden Kosten mit dem spärlichen Lohn abzudecken, weshalb ich mir in der Freizeit noch etwas Geld dazuverdiente, meist als Bedienung auf Weinfesten. Mein Humor, ab und an ein Augenzwinkern und mit Sicherheit mein flinkes Wuseln durch die Reihen der Weinfestbesucher erbrachten mir recht großzügig bemessene Trinkgelder und sicherten die nächste Tankfüllung für mein Moped.

Im zweiten Lehrjahr wurde der Lohn dann großzügig auf 150 Mark im Monat erhöht und als besonderen Bonus bekam ich von den Eltern meinen ersten eigenen Grund und Boden: ein knapp 10 Ar großes Stück Ackerland. Das hört sich überhaupt nicht spektakulär an. Doch ich kann kaum beschreiben, welche Emotionen, welchen Stolz dieses kleine Stück Land in mir hervorrief, mit welcher Begeisterung ich begann, es in Besitz zu nehmen. Natürlich sollte die Kulturpflanze, die ich anbauen wollte, nicht nur ertragreich sein, sondern auch außergewöhnlich. Im ersten Jahr entschied ich mich dafür, die

Hälfte der Fläche mit Mais zu bepflanzen, dessen kleine Kölbchen an die Konservenindustrie verkauft wurden. Den anderen Teil bestückte ich mit Gurkenpflanzen. Mitte der achtziger Jahre war das unbürokratisch und logistisch noch relativ unkompliziert zu meistern. Die Essiggurken und Maiskolben wurden dreimal die Woche an einer zentralen Sammelstelle in der Nähe abgeholt und auch Kleinstanbauer, wie ich einer war, erfasste die Konservenindustrie vertraglich. Frühmorgens wurden die Gurken gepflückt. Während der heißesten Sommernachmittagsstunden im kühlen Keller oder der schattigen Veranda wurden sie sortiert und die Maiskölbchen geschält. Obwohl ein Unwetter die Maisernte nach kürzester Zeit beendete, konnte ich mir von meinem ersten selbst erarbeiteten und verdienten Gewinn eine komplette, nagelneue Skiausrüstung leisten. Ich war so stolz, dass mich in jenem Winter noch nicht einmal minus 33 Grad Celsius Kälte vom Skifahren mit der funkelnagelneuen Ausrüstung abhalten konnte. Im zweiten Jahr erweiterte ich die Anbaufläche der Gurken und verzichtete auf den Maisanbau. Den Erfolg honorierte ich mir selbst mit einer vierzehntägigen Skifreizeit in dem Nobelskigebiet Saas Fee im Schweizer Wallis. Heute wünsche ich mir oft, mich wieder so unbekümmert und glücklich über eine erfolgreiche Ernte freuen zu können wie damals.

An die Berufsschuljahre erinnere ich mich sehr gerne. Durch eine Ausbildungszeitverkürzung waren sie leider etwas eingeschränkt. Wie immer lernte ich nur das, was mich interessierte und was ich glaubte, in meinem Berufsleben auch anwenden zu können. Einige Jahre später musste ich dann vieles wieder mühevoll aufarbeiten, als ich endlich begriff, dass in der Landwirtschaft und im Weinbau nur die Cleversten überleben würden und wirtschaftlicher Erfolg einem nur beschert wird, wenn man besser ist als andere. Mein Vater war zu jener Zeit bereits schwer herzkrank. Körperlich anstrengende Arbeiten konnte er kaum mehr ausüben, und man musste jegliche Aufregung und auch jeden Stress von ihm fern halten. Somit war meine Person als Arbeitskraft unersetzlich und ich verzichtete darauf, einen Teil der Ausbildungszeit in einem Fremdbetrieb zu verbringen, stattdessen absolvierte ich ein mehrwöchiges Praktikum in einer Weinkellerei. Mit Sicherheit bin ich meinem dortigen Chef nicht in guter Erinnerung geblieben. Oft fühlte ich mich mit den mir übertragenen Aufgaben überfordert und es war eine bittere Pille, die ich schlucken musste, als meine Vorgesetzten meine bislang sorgsam vertuschten Bildungslücken entdeckten. Es war mir ja nie schwer gefallen, etwas zu begreifen, nur fehlte mir die Ambition, perfekt darin zu werden. Mir treibt es noch heute die Schamesröte ins Gesicht, wenn ich daran denke, dass das Schimpfwort „dummer Bauer" allzu oft bei mir zutreffen könnte. Allerdings: Wenn die Menschen nur über Dinge reden würden, von denen sie etwas verstehen – das Schweigen wäre bedrückend.

Vater und Tochter waren ein gutes Team, da sie abhängig voneinander waren. Er war auf meine Anwesenheit angewiesen und ich lernte durch seine enorme Erfahrung. Selbstverständlich waren wir nicht immer einer Meinung, jedoch – harmoniebedürftig wie ich bin – gab und gebe ich leicht nach. Nun weiß ich bis heute nicht, ob das eine angeborene Charaktereigenschaft ist oder ob ich es mir angeeignet habe. Tatsache ist jedoch, dass ich selten den geraden Weg nehme, um mein Ziel zu erreichen. Der saloppe Ausspruch: Von hinten durch die Brust ins Auge, trifft auf mich haargenau zu. Doch es ist manchmal auch sehr mühsam, Umwege zu machen.

Ich vertrat den Betrieb meist in der Öffentlichkeit. Keck mischte ich mich in die Männerrunden ein und sonnte mich in den bewundernden Blicken der Kollegen. Es schmeichelte meinem Ego ungemein, für manche Bauernsöhne als Vorbild herhalten zu dürfen. Informationsveranstaltungen, Fortbildungstagungen und ähnliche Termine nahm ich wahr, während mein Vater die Kauf- oder Verkaufsgespräche führte. Zunächst nahm ich das gelassen hin, denn schließlich war er der Betriebsleiter und letztendlich auch derjenige, der bezahlte. Blauäugig wie ich war, glaubte ich, das würde sich spätestens mit der Verpachtung des Betriebes an mich ändern. Die Übergabe erfolgte 1986, als ich gerade mal neunzehn Jahre alt war. Durch unseren vielseitig strukturierten Betrieb hatte ich zwar von vielem eine Ahnung, aber so richtig gut war ich in keinem Bereich. So waren die ersten Jahre meines Betriebsleiterinnendaseins hauptsächlich dadurch geprägt, sehr viel zu arbeiten und Erfahrungen zu sammeln. Manche Leute wachsen mit der Verantwortung. Ich behaupte jetzt einfach von mir, dass ich zumindest ein wenig mit ihr angeschwollen bin. Die Zeit der Hofübergabe bleibt mir in schlechter Erinnerung. Ich wollte sie auf keinen Fall. Vor allem mein Vater drängte aufgrund seines schlechten Gesundheitszustandes darauf, „sein Haus in Ordnung zu bringen." In unserer Familie bin ich wohl diejenige, die am wenigsten Wert auf Besitz und materielle Güter legt. Ausgerechnet ich sollte also den Familienbesitz erben? Meinen Eltern und Geschwistern bin ich sehr dankbar, dass es anders als in vielen Familien bei uns so harmonisch, offen und vor allem neidlos über die Bühne gegangen ist. Trotzdem ging es mir damit nicht gut, denn mir war es zwar recht, Verantwortung zu tragen, aber mir lag nichts daran „Chefin" zu werden. Am wohlsten fühle ich mich, wenn mir eine Aufgabe übertragen wird – es darf auch durchaus ein etwas komplizierteres Unterfangen sein – und ich mich dann mit all meinen Fähigkeiten einbringen kann, wohlwissend, jemanden hinter mir stehen zu haben, der mir den Rücken stärkt. Dabei stelle ich an mich selbst hohe Erwartungen und Anforderungen. Kann ich diese nicht erfüllen, werde ich unzufrieden und empfinde es als unbefriedigend, vor allem auch für andere. Noch weniger allerdings wollte ich meine Eltern enttäuschen und ihren Lebensinhalt in den Wind schlagen. Die Unterschrift unter den Hofübergabevertrag machte ich mit einem unguten Gefühl, und es folgten daraufhin tränenreiche Jahre.

Meinen Mann lernte ich mit einundzwanzig Jahren kennen und ein Jahr später feierten wir unsere Hochzeit mit einem rauschenden Fest. Er hatte so ziemlich alle Vorzüge, die ich mir in meinen Mädchenträumen ersehnt hatte: kein Landwirt oder Winzer, aber aus einer solchen Familie stammend, ein paar Jahre älter als ich, erfolgreich in seinem eigenen Beruf, gut aussehend, ein begnadeter Tänzer und vor allem eines, nämlich bereit einzuheiraten, mitzuhelfen und es besser zu machen als die Paare, die wir so kannten. Wir machten in den ersten Jahren unserer Ehe wohl so ziemlich alles mit, was es an Reibereien in einem landwirtschaftlichen Betrieb geben kann, wo alle unter einem Dach leben. Kompetenzprobleme, Generationenkonflikte, Eifersucht, Leistungsdruck und dazu die Frage, mit einem Blick auf meinen Bauch, ob sich da nicht doch bald Anzeichen eines Hoferben abzeichnen würden. Wir haben ihn bis heute noch nicht bekommen, müssen aber ehrlich sagen, dass unser Leben auch ohne Kinder ausgefüllt und reich ist.

Der Strukturwandel vollzog sich bei uns dann rasend schnell. Ich wollte nie, dass unser Betrieb zu den Nebenerwerbsbetrieben gezählt wurde, obwohl mein Mann von Anfang an berufstätig war. Mit Sicherheit ignorierte ich die Betriebsergebnisse und wollte es nicht wahrhaben, dass ich nicht einen florierenden Bauernhof mein Eigen nennen durfte, sondern ein absolutes Auslaufmodell. Die Schweinepest im Nachbardorf und den damit zusammenhängenden Preiseinbruch nahm ich schließlich als Anlass, mit der Ferkelproduktion aufzuhören. Der Händler erwartete sowieso schon länger größere Einheiten und an eine Aufstockung war rein räumlich gar nicht zu denken. Die Woche über machte es mir nichts aus, morgens und abends in den Stall zu gehen, doch sonntags empfand ich es oft als sehr lästig. Entweder waren Absprachen notwendig oder man musste immer mit dem Blick auf die Uhr unterwegs sein, um rechtzeitig wieder zu Hause anzukommen. Es hat einfach nicht funktioniert, den Betrieb umzustellen und nur noch morgens in den Stall zu gehen. Mein Mann mochte die Schweine sehr gerne und die Arbeit machte ihm im Gegensatz zu mir viel Freude. Doch er konnte nun mal nur abends in den Stall. Andere blicken wehmütig in einen leeren Stall, ich genoss und genieße die Freiheiten, die man hat, wenn der Betrieb viehlos ist. Nach weiteren drei Jahren wollte ich aus einer Laune heraus einfach wissen, welchen Marktwert meine landwirtschaftliche Fläche mit dem Zuckerrübenkontingent eigentlich hat, und setzte eine Anzeige in diverse Zeitungen. Die Angebote haben mich erstaunt und davon überzeugt, dass es wirtschaftlich besser war, auch auf diesen Betriebszweig zu verzichten und Flächen sowie Kontingent zu verpachten. Mir fällt es heute oft schwer, nicht wehmütig zu werden, wenn ich an „meinen" Feldern vorbeigehe, das Getreide wachsen sehe und in die Bestände reinschaue. Einen Acker zu bestellen, zu säen, zu düngen, gesund zu erhalten, um dann am Ende ernten zu dürfen, damit verbinde ich sehr viele Emotionen. Und die Landwirtschaft aufzugeben bedeutet nicht, kein Interesse mehr an den

Problemen und Nöten der Bauern zu haben, deshalb tut es weh zu spüren, dass man oft ausgeschlossen wird mit den Worten: „Sei froh, dass du keine Landwirtin mehr bist" oder „Sei froh, dass du einen Mann hast, der sein Geld leichter verdient" oder „Was treibst du jetzt den ganzen Tag, wenn du keine Arbeit mehr draußen hast?"

Jeder Landwirt hat mit seinem Selbstwertgefühl zu kämpfen, wenn er keine Möglichkeit mehr sieht, seinen Betrieb weiterzuentwickeln, sondern sich nach anderen Einnahmequellen umsehen muss. Genauso wie sich der elterliche Hof entwickelt hat, entspricht er meinen Vorstellungen und ich bin zufrieden. Meine betagten und gesundheitlich sehr angeschlagenen Eltern haben beide noch ihre Aufgaben in der Familie und auf dem Hof. Sie haben gelernt zu genießen, dass sie anders als ihre gleichaltrigen Landwirts- und Weingärtnerkollegen mitarbeiten dürfen, es aber nicht zwingend müssen. Außer in den Erntephasen genügt eine einzige Arbeitskraft auf dem Hof und auch mein Mann muss nur wenig seiner freien Zeit opfern. Manchmal, wenn mir mein Leben zu eng wird, schicke ich meine Träume auf Wanderschaft. Dann sehe ich ein schönes weißes Haus inmitten von Weinbergen in den Weiten Kanadas. Oder ich sehe mich inmitten einer Schar dunkelhäutiger Menschen, mit denen ich Bewässerungsgräben für ihre Felder anlege.

Nach meiner Reise zurück in die Vergangenheit, wäre es verlockend, einen Blick in die Zukunft zu werfen, aber das Leben würde dadurch an Spannung verlieren. Vielleicht sollte ich aber doch noch etwas aus der Gegenwart erzählen. Dadurch, dass die Arbeit in den Weinbergen und in den Obstplantagen nicht gleich bleibend arbeitsaufwändig ist, habe ich in den letzten Jahren deutlich mehr an Freizeit gewonnen, und man hört mich nur noch selten über zu viel Arbeit klagen. Beim Thema Freizeitstress kann ich jedoch inzwischen mitreden. Nicht ohne Neid habe ich oft berufstätigen Frauen oder Männern zugehört, wenn sie von den Erlebnissen mit ihren Kollegen und Kolleginnen erzählten, während ich mich von morgens bis abends oft nur an der Gesellschaft meines Hundes erfreuen konnte. Da ich sehr kritisch bin, wenn eine Arbeit nicht ganz nach meinen Vorstellungen ausgeführt wird, außerdem ständig bestrebt, immer alles selbst zu machen, weil das ja viel schneller geht, bin ich froh, mein eigener „Herr" zu sein. Doch ohne menschliche Nähe würde ich wohl verwelken. Vereinsarbeit, Ehrenämter, Kontakte knüpfen und der Austausch mit anderen sind deshalb die Oasen, in denen ich meinen Durst nach Gesellschaft stille. Ein Leben ohne ein Auto, um meine Freunde zu besuchen, ohne Computer, Telefon, Handy und das Modem für die Internetverbindung kann ich mir inzwischen nicht mehr vorstellen. Anders als meine Großeltern oder Eltern weiß ich nicht, ob ich mein ganzes Leben auf dem ererbten Bauernhof verbringen werde. Oft ist das Fernweh groß, und wenn mal alles schief läuft, kommt man ins Grübeln, ob der eingeschlagene Weg tatsächlich der richtige ist. Trotzdem oder gerade deshalb kommt es mir so vor, wenn ich an das Bild von dem Baum und den herabfallenden Äpfeln denke, dass ich ein Apfel aus der Mitte bin und bestimmt einer, der von der abschüssigen Wiese wieder zum Baum hin, zum Stamm zurückkullert.

Die Mühle

„Immer wieder denke ich an einen Raum in meinem Elternhaus, der ‚die Mühle‘ genannt wurde, ...“

Schrilles Weckerklingeln reißt mich aus dem Schlaf: sechs Uhr und draußen wird es allmählich hell. Minuten später fängt unser wachsamer „Flori" an zu bellen, und ich höre, wie ein Lkw langsam in den Hof rangiert. Das ist der Gemüsegroßhändler; heute ist Donnerstag, da kommt die frische Ware für unseren Hofladen. Also, nichts wie raus aus dem Bett. Hose und Pullover übergezogen und die Treppe runter, um die Tür zu öffnen, damit der Fahrer möglichst zügig abladen kann. Er ist so früh am Morgen schon in Eile, hat noch eine große Tour vor sich und so werden nicht mehr als ein paar Grußworte gewechselt.

Inzwischen ist Hansjörg, mein Mann, aufgestanden, kommt herunter und nach einem flüchtigen Gruß geht er hinüber in den Kuhstall, um die Tiere zu füttern und zu melken.

Ich lade derweil das Gemüse ab, prüfe sorgfältig den Lieferschein und gehe dann auch in den Stall, um die Kälber zu tränken. Nun ist es Zeit, Georg zu wecken, unseren fünfzehnjährigen Sohn, der so gern den Wecker überhört und jede Minute Morgenschlaf ausnutzt.

Frühstück machen geht beinahe automatisch, nebenher verfolge ich den Wetterbericht für heute und morgen und dann sitzen wir alle zusammen am Frühstückstisch. Die Frage nach schulischen Dingen wird von Georg etwas unwirsch beantwortet, der Morgen sei keine Zeit für lange Unterhaltungen; er macht sich auf den Weg.

Ich sitze noch eine Weile mit Hansjörg am Tisch; wir überlegen, wer heute was tun wird. Wenn es trocken bleibt, könnten wir nachmittags mit dem Gemüsehacken anfangen; das Unkraut gedeiht, und da wir den Hof nach biologischen Grundsätzen bewirtschaften, bleibt uns zur Unkrautbekämpfung nur das Hacken mit der Maschine und besonders das von Hand.

Den Vormittag verbringe ich im Laden, nachher kommt der zweite Großhändler, der uns mit Milch- und Trockenprodukten versorgt. Heute wird eine ziemlich große Bestellung ausgeliefert, und ich brauche den ganzen Vormittag, bis alle Waren ordentlich verstaut sind. Es ist sehr kühl im Laden, gut für die Ware, aber nicht so gut für mich; immer wieder gehe ich hinaus und erfreue mich an der Frühjahrssonne. Bei der Gelegenheit schaue ich in meinem Hausgärtchen nach dem Rechten. Sind die Salatpflanzen schon groß genug, um sie auszupflanzen? Hoffentlich haben die Katzen nicht wieder in den Beeten gescharrt! Kräuter kann ich auch schon ernten, genügend für den Quark, den es heute als Mittagessen zu Kartoffeln und Salat gibt. Zum ausführlichen Kochen bleibt heute keine Zeit, das schöne Wetter muss genutzt werden und so fahre ich nach einer kurzen Mittagspause hinauf aufs Feld mit meiner Hacke. Flori begleitet mich freudig und fängt bald an Mauselöcher aufzugraben.

Ich bin gerne allein hier draußen, weit und breit ist niemand zu sehen, nur ab und zu ein Spaziergänger oder ein Traktor, der eilig vorbeifährt. Für mich sind diese Stunden immer eine Gelegenheit, meinen Gedanken freien Lauf zu lassen, oft habe ich ein Stück Papier dabei für Notizen und „Geistesblitze".

Schon lange habe ich die Idee, Erlebnisse und Stimmungen aus meiner Kindheit aufzuschreiben und festzuhalten. Ich möchte sie gerne meinem Sohn und den Kindern meiner Geschwister zukommen lassen; ich denke oft, dass zwischen ihrer und meiner Kindheit nicht nur dreißig oder vierzig Jahre liegen, sondern wirklich der so genannte himmelweite Unterschied.

Immer, wenn ich einmal im Jahr meine Mutter besuche, die noch in dem Haus lebt, das schon ihr Elternhaus und dann auch meines war, werden mir die großen Veränderungen bewusst, die sich in den vergangenen Jahrzehnten dort vollzogen haben, an denen ich aber keinen Anteil hatte. Umso klarer stehen mir Erlebnisse und Personen meiner Kindheit vor Augen. Immer wieder denke ich an einen Raum in meinem Elternhaus, der „die Mühle" genannt wurde, an diesen eigenartigen, „vielgesichtigen" Raum, der mich als Kind wie kaum ein anderer interessierte.

Er lag in der nord-östlichen Ecke des Hauses, mit einem Fenster nach Osten. Man betrat die Mühle durch das Badezimmer, eine Schiebetür lief auf schwergängigen eisernen Rollen, sie wurde nur geschlossen, wenn Samstagabend Badezeit war.

Obwohl die Mühle auf diese Weise mit der Wohnung in Verbindung stand, war sie doch ganz und gar ein landwirtschaftlicher Arbeitsraum und mehr dem sich ihr anschließenden Pferde- und Kälberstall zugeordnet. Auch zu diesem Stall gab es eine Schiebetür; unter ihr sickerte hin und wieder etwas Jauche durch, was eindringlich daran erinnerte, dass es höchste Zeit war, die Kälber auszumisten.

Die Bezeichnung Mühle kam von der Schrotmühle, die in einer Ecke stand und deren Korntrichter bis unter die Decke reichte. Hier wurde im Wechsel für Kühe, Kälber, Schweine, Hühner und Pferd eine jeweils besondere Getreidemischung gemahlen.

Vom Großvater bekam man genaue Anweisung, wie viele Schaufeln Hafer, Weizen, Gerste oder Roggen in den großen hölzernen Trichter auf dem Speicher einzufüllen waren, damit die Mischung stimmte. Er hatte die Aufsicht; uns Kindern war es streng verboten, etwa den Motor in Gang zu setzen, der seine Kraft mit Hilfe eines breiten ledernen Treibriemens auf die hölzerne Riemenscheibe der Mühle übertrug. Auf einem kleinen Treppchen stieg der Großvater an der Mühle hoch und prüfte, ob das Getreide gleichmäßig einlief, fühlte die Beschaffenheit des Schrots und war bald von einem feinen Mehlschleier überzogen. Wenn der angehängte große Jutesack mit warmem, duftendem Schrot gefüllt war, wurde er durch Badezimmer und Flur zur Haustür hinausgeschleift – immer eine ordentliche Mehlspur hinterlassend – und an die entsprechende Futterstelle gebracht.

Unser Großvater, der sehr eigensinnig war, nahm natürlich bei seinem Mahlgeschäft keine Rücksicht auf andere Arbeiten, die in der Mühle verrichtet wurden.

Vielleicht ist gerade Montagmorgen, stelle ich mir vor, der Arbeitstisch vor dem Fenster ist vollgestellt mit Schuhen und Stiefeln, die darauf warten, geputzt zu werden. Das war die Arbeit unserer Großmutter; ich erinnere mich, wie sie gewissenhaft erst allen Dreck rundherum abbürstete und abkratzte, dann sparsam die Schuhwichse auftrug, und, wenn sie am Ende der langen Reihe von Schuhen angekommen war, wieder von vorne anfing, indem sie die Schuhe nun blank polierte. Zu jedem Arbeitsgang gab es besondere Bürsten in verschiedenen Farben und Härten, die man als Kind, wenn man allmählich in diese Arbeit hineinwuchs, bloß nicht verwechseln durfte. Ich erinnere mich gerne an das Bild und den Geruch von frisch geputzten Schuhen.

Ganz andere Gerüche entfalteten sich, wenn wieder einmal ein gackerndes Hühnerleben von unserer Mutter am Hackklotz abrupt beendet wurde. In einem Eimer wurde das tote Huhn in die Mühle getragen und mit heißem Wasser übergossen, damit es sich leichter rupfen ließ. Schon diesen Geruch nasser Federn fand ich äußerst unangenehm, auch der des „Flämmens" stieg mir beißend in die Nase, wenn nämlich dem gerupften Tier mit einer brennenden Zeitung rasch der letzte Flaum abgesengt wurde. Aber richtig scheußlich wurde es erst, wenn es ausgenommen wurde. Dann verschwand ich meist für eine Weile, holte vielleicht einen Eimer frischen Wassers, worin dann der Hühnerkörper und die Innereien gewaschen wurden. Beim Anblick des appetitlich gesäuberten Huhns konnte sich allerdings schon wieder Vorfreude auf ein leckeres Ragout einstellen.

Nein, mit dem Hühnerschlachten hatte ich nichts im Sinn, das hat sich bis auf den heutigen Tag nicht geändert. Da war das Zerlegen von Schwein oder Rind doch eine ganz andere Sache. Jeden Winter kam irgendwann der „Schiefer-Paul", um das Schlachten zu besorgen; ein Vorgang, bei dem Kinder natürlich nichts zu suchen hatten.

Aber wenn gewurstet und zerlegt wurde, war ich stets zur Stelle, lernte vieles über die Verwendung der einzelnen Partien und staunte über die Menge der verpackten Fleischstücke, die in die Kühltruhe wanderten. Es wurde im Hause nicht an Fleisch gespart.

Natürlich wurde die Mühle vor einer solchen Aktion geputzt und aufgeräumt, aber aus heutiger Sicht würden jedem hygienischen Menschen die Haare zu Berge stehen.

Zur Osterzeit waren auf dem Tisch in der Mühle immer die Osternester zu finden. In der Mitte des Tisches stand eine Vase mit Zweigen und rundherum war für jedes Kind ein Nest angeordnet, aus viel frischem Moos, das wir an Böschungen und in Gräben fanden und ausrupften. Da der Osterhase früher längst nicht so großzügig war wie heute, leerten sich die Nester in wenigen Tagen, manchmal fand sich später beim Aufräumen noch ein kleines verstecktes Zucker-Ei, das jetzt würzig nach Moos schmeckte.

Der Frühling war auch die Zeit, in der die ins Haus gehörende Katzenmutter die Mühle mit besonderem Interesse aufsuchte. Es standen dort nämlich zwei alte Küchenschränke, einer vor allem gefüllt mit Marmeladengläsern und einer Menge Dinge, die zwar schon ausrangiert, aber doch noch zu schade waren, um sie wirklich wegzuwerfen. In einem Schrankunterteil waren alte Handtücher und Lappen, die zu irgendeiner Schmutzarbeit noch zu gebrauchen waren und die die Katzenmutter gerne als Wochenbett in Anspruch nahm. In der fraglichen Zeit gab ich mir viel Mühe, die Katze in ihrem Vorhaben zu unterstützen, in der Hoffnung, in wenigen Wochen ein kleines Kätzchen als neues Spielzeug zu besitzen. Überhaupt war die Mühle ja auch ein Platz zum Spielen; hier gab es viele Dinge, aus denen sich etwas bauen ließ, auch das Schaukelpferd hatte hier seinen Platz.

In einer Ecke befand sich eine Tür zum Heuschacht. Hier wurde das Heu vom Heustock unterm Dach direkt in den Kuhstall hintergeworfen. Meistens blieb nach dem Füttern unten ein kleiner Rest liegen und auf dieses Polster sprangen wir von der Mühlentür aus, natürlich verbotenerweise, was den Reiz des Spiels nur erhöhte. Man musste nur immer ungesehen aus dem Kuhstall wieder hinaufkommen, über die Kellertreppe schleichen, an der Küchentür vorbeihuschen, und allmählich entstand eine verräterische Heuspur, die irgendwann entdeckt wurde, und dann war das schöne Spiel sehr schnell beendet.

Wenn ich mich richtig erinnere, stand auch die gute alte „Bundeslade" zum Schluss in der Mühle. Jener interessante Schreibsekretär hatte vorher seinen Platz im Hausflur. Ich erinnere mich, dass er vollgestopft war mit vielen nötigen und unnötigen Dingen, und alles, was unauffindbar schien, wurde zuerst mal in der Bundeslade gesucht – und auch oft gefunden. Sie hatte viele Schubladen und richtige Geheimfächer. Leider war sie ziemlich ramponiert, das Furnier blätterte ab und sie war kein schöner Anblick mehr. Unser damaliger Hausarzt, der eine Schwäche für alte Möbel hatte, sah wohl ihre einstige Schönheit unter den Beschädigungen und hat sie irgendwann unserem Großvater „abgefuggert". Ich konnte es als Kind nicht begreifen, dass dieses in meinen Augen so schöne und geheimnisvolle Möbel aus dem Haus gegeben wurde. Meines Wissens ist sie aber in gute Hände gekommen und durch Restauration zu alter Schönheit erblüht.

Mit der Zeit der Bundeslade ging auch die Zeit der Mühle zu Ende. Das Haus veränderte sich, wurde renoviert und umgebaut, aus Stall und Mühle und Heubühne wurde eine Wohnung.

Wie ein Film sind diese Bilder vor meinem inneren Auge abgelaufen, einschließlich der dazugehörigen Geräusche und Gerüche. Ganz mechanisch habe ich dabei weitergearbeitet, einen Fuß vor den anderen gesetzt und einen Hackenschlag neben den anderen.

Und ich fühle mich durch die Erde, auf der ich stehe und durch die Art und Weise, wie ich sie bearbeite und mit ihrem Rhythmus lebe, ganz stark mit dem verbunden, was schon viele Generationen vor mir gelebt und empfunden haben. Gleichzeitig fühle ich eine tiefe Verbundenheit mit all den Frauen, die überall auf der Welt durch die Arbeit auf und mit der Erde ihren ganz festen Platz im Kreislauf des Lebens haben.

Nur die gewisse Wehmut bleibt

„Inzwischen weiß ich, dass gerade die Landwirtschaft viel bieten würde, um die Balance zwischen Kopf und Hand zu schaffen."

Der Apfel fällt meist weit vom Stamm? – Je älter ich werde, je mehr ich darüber nachdenke, umso mehr spüre ich: Der Apfel fällt doch nicht weit vom Stamm. So weit weg fühle ich mich jedenfalls nicht mehr – von meiner Herkunft, von meinen Eltern –, wenn ich auf mein Leben schaue und darüber nachdenke, wie alles so geworden ist, was ich geworden bin, wie ich bin.

Rein äußerlich liegt das nicht nahe. Denn da bin ich ganz schön weit weg vom Stamm gefallen. Ich bin nicht Bäuerin geworden, sondern habe Theologie und Sozialpädagogik studiert. Aufgewachsen bin ich auf dem Bauernhof meiner Eltern in einem kleinen Dorf in Franken. Ich habe schon in verschiedenen Städten gelebt, ein halbes Jahr auch in Mittelamerika, zur Zeit lebe ich in Bonn.

Auch biografisch gibt es kaum Gemeinsamkeiten zwischen meinen Eltern und mir. Sie haben immer in dem Dorf gelebt, waren auf der Hauptschule, haben Landwirtschaft respektive ländliche Hauswirtschaft gelernt und irgendwann nach der Heirat den Bauernhof meiner Großeltern übernommen. Nach der Heirat kamen in schöner katholischer Reihenfolge die vier Kinder. Alles verlief in den vorgezeichneten Bahnen.

Obwohl, meine Mutter hat tatsächlich mal die große weite Welt geschnuppert. Sie war für ein Jahr in Wien, um dort bei einer Tante im Kloster Hauswirtschaft zu lernen. Sogar ein paar Brocken Französisch hat sie mitgebracht. Die kramt sie heute noch ab und zu stolz hervor.

Mir wird immer deutlicher bewusst, wie sehr ich die verpassten Lebensträume meiner Mutter erfülle. Sie hat die vorgezeichneten Bahnen nie verlassen, hat nie wirklich dagegen rebelliert. Den ein oder anderen Freiraum hat sie sich geschaffen; ihre Freundinnen gehören dazu, mit denen sie inzwischen sogar, selbst organisiert, in Urlaub nach Mallorca fliegt. Ihren ganz alten Lebenstraum, den von Bildung, erfüllt sie sich aber nicht, den haben wir, ihre Kinder, verwirklicht. Meine Mutter hat nie viel von ihrer Kindheit erzählt. Sie wurde gegen Ende des Zweiten Weltkrieges geboren. Ihre Mutter hat einen für die Region großen Hof geleitet, als der Vater im Krieg war und auch danach. Viel weiß ich über diese Zeit nicht, nur eines: Meine Mutter war sehr wissbegierig und ging gerne zur Schule. Sie wollte mehr Bildung, mehr lernen, länger zur Schule gehen, aber mit vierzehn war die Schulzeit vorbei. Danach gab es keine Ausbildung, sondern Arbeit, vor allem Fabrikarbeit und Landwirtschaft.

Natürlich hat meine Mutter nie ausgesprochen, dass ihr die Bildung ihrer Kinder so wichtig ist, weil sie selbst gerne länger zur Schule gegangen wäre. Indirekt hatte es aber sehr großen Einfluss. Wir sind vier Geschwister, ein Bruder und drei Schwestern. Alle Mädchen haben Abitur gemacht und studiert. Das kann kein Zufall sein. Es gab nie Druck, dass wir aufs Gymnasium gehen oder gute Schulabschlüsse machen müssten. Aber der Einfluss meiner Mutter hat gewirkt, ohne dass wir es gemerkt haben. Sie hat sich immer sehr gekümmert, vom Lesenlernen bis zum Elternabend. Schulische Dinge hatten Vorrang vor der Mitarbeit auf dem Hof. Deshalb waren Schulaufgaben auch immer eine willkommene Ausrede, um sich vor der Arbeit zu drücken. Meinen Vater hat unsere Schullaufbahn kaum interessiert. Er hat sich nicht groß darum gekümmert, hat aber auch nichts verhindert. Stolz war er dann schon auf uns, denke ich, auch wenn er das nie geäußert hat.

Dass wir alle aufs Gymnasium gingen, war in unserem Dorf überhaupt nicht selbstverständlich. Außer uns waren nur noch zwei oder drei Kinder aus der Siedlung dort, die sowieso immer was Besseres waren. Das hat mich auch entfremdet vom Dorf. Die Freundschaften mit Kindern im Dorf sind ziemlich schnell abgebrökelt, als ich aufs Gymnasium ging. Ich war sehr schüchtern, deshalb galt ich schnell als arrogant, als eine, die die Nase hoch trägt. Als Kind und vor allem als Jugendliche habe ich unter diesem Image und unter den fehlenden Dorfkontakten ziemlich gelitten. Gleichzeitig habe ich mich auch in der Schule als Exotin gefühlt. Dort gab es nur sehr wenige Kinder, die auch vom Bauernhof kamen, obwohl es ein richtiges Land-Gymnasium war. Irgendwie war ich aber auch stolz auf dieses Besondere. Vielleicht identifiziere ich mich deshalb noch heute sehr stark mit meiner bürgerlichen Herkunft.

Die Einbindung ins Dorfgeschehen ist vor allem über die Kirche gelaufen. Schon als Kind habe ich sonntags in der Kirche die Lesungen vorgetragen. Auch das wird mir eher das Image hochnäsig eingebracht haben, denn im Dorf wird es nicht gerne gesehen, wenn sich jemand hervorhebt. Bei Pfarrfesten und ähnlichen Veranstaltungen durfte ich dann Mundart-Gedichte aufsagen, bis mir das irgendwann zu peinlich geworden ist.

Mit der Kirche begann sozusagen auch meine weitere „Laufbahn". über die katholische Landjugendarbeit habe ich wieder Zugang zum Dorf, zu Jugendlichen im Dorf gefunden. Es hat mich fasziniert, dass da auf einmal neben dem normalen Dorftratsch das Sprechen über ganz grundsätzliche Themen, über Gott und die Welt möglich war. Themen, über die ich viel nachgedacht habe, die aber in meiner Familie, in meinem Umfeld, im Dorf sonst nie zur Sprache kamen.

Das Nichts-Sagen, obwohl eigentlich ständig geredet wird, ist so eine Grunderfahrung, die ich als bedrückend in meiner bäuerlichen, ländlichen Kindheit und Jugend erlebt habe. Es wurde zwar eigentlich immer geredet, aber nie wurden Gefühle ausgedrückt, nie wurde über Probleme gesprochen, Zuneigung auch wörtlich ausgedrückt. Streit dagegen, verbunden mit Ärger und Wut, wurde bei uns immer sehr lautstark ausgetragen. Irgendwie war es dann auch schnell wieder gut, wenn das Donnerwetter abgezogen war. Es gab aber kein Reden darüber, keine Entschuldigungen für Verletzungen. Damit konnte ich nie richtig umgehen und habe mich dann immer eher in meine Schweigsamkeit zurückgezogen. Über meine Schweigsamkeit als Kind gibt es den Witz, dass meine Mutter oft erst gefragt hat, ob ich auch da sei, wenn wir mit dem Auto bereits irgendwohin unterwegs waren, weil sie von mir nichts gehört hatte.

Nun bin ich wieder zurück bei meiner Mutter. Wir waren schon so ein richtiger Frauenhaushalt, die Männer, also mein Vater und mein Bruder, waren da außen vor. Obwohl dafür mein Bruder von der Oma, die mit im Haus gelebt hat, unglaublich verhätschelt wurde. Ihm hat sie zum Beispiel immer extra was gekocht, wenn ihm das normale Mittagessen nicht geschmeckt hat.

Durch die Arbeit meiner Mutter, vielleicht durch die Arbeit von Bauersfrauen überhaupt, war es für mich eigentlich immer selbstverständlich, dass Frauen die gleiche Arbeit machen können wie Männer. Diskussionen, dass Frauen angeblich für irgendwas zu schwach sind, kamen mir immer völlig absurd vor. Nie wäre ich auf die Idee gekommen, irgendetwas deshalb nicht zu können oder nicht zu dürfen, weil ich ein Mädchen war. Ich bin auch immer alleine durch Wald und Flur gestreunt, habe alle Plätze gekannt, wo es besondere Blumen gab oder Walderdbeeren.

Erst jetzt erkenne ich, dass meine Mutter so auch unbewusst ein Vorbild war. Einfach durch die Eigenwilligkeit, mit der sie selbst gelebt hat, durch die Freiheit, die sie uns Töchtern gegeben hat, durch die Selbstverständlichkeit, mit der sie uns unsere eigenen Wege hat gehen lassen.

Obwohl sie auf der anderen Seite auch immer schon die Überbringerin der dörflichen Konventionen und Erwartungen war; das ewige „was sagen da die Leut!", das die eigene Freiheit ziemlich eingeschränkt hat. Vor allem die innere Freiheit meiner Mutter selbst, die das Gerede im Dorf immer sehr belastet hat.

Trotzdem: Leben auf dem Land hat für mich noch immer die Bedeutung von Freiheit und Weite. Das liegt vor allem am Platz, an der offenen Landschaft. Die Landschaft habe ich als meinen Lebensraum empfunden. Noch heute fällt es mir schwer, in einer kleinen Stadtwohnung zu sein und nicht direkt raus in den Garten, auf die Felder und Wiesen zu können. Die Sehnsucht, aufs Land zurückzukehren, spüre ich noch ganz stark.

Eine andere Sehnsucht ist die nach der Landwirtschaft. Immer wieder taucht bei mir die Frage auf: Wäre es nicht doch schön gewesen, Bäuerin zu sein? Oder: Gibt es doch noch einen Weg, um in der Landwirtschaft zu arbeiten? Wenn ich dann aber genau hinschaue und realisiere, wie Landwirtschaft sich verändert hat, unter welchen Bedingungen Landwirte heute arbeiten, dann entlarve ich diese Gedanken schnell als naive Nostalgie.

Meine Eltern verkaufen dieser Tage ihre letzten Kühe. Schon bei mir löst das Verlustgefühle aus; ich kann mir vorstellen, wie es ihnen geht, auch wenn sie kaum darüber sprechen. Nur meine Mutter beschreibt manchmal das komische Gefühl, das sie beschleicht, wenn sie den (fast) leeren Stall betritt.

Und ich überlege dann mal wieder: Was wäre geworden, wenn ...? Lust auf Landwirtschaft hatte ich schon. Die Arbeit in der Natur, mit den Tieren, das Erleben von Jahreszeiten, das sichtbare Wahrnehmen der Früchte eigener Arbeit, die Selbstständigkeit haben mich gereizt. Warum ich andere Lebenswege eingeschlagen habe? Landwirtschaft hätte bedeutet, den Hof der Eltern zu übernehmen. Mit allen Konsequenzen: immer in dem Dorf zu leben, in dem ich aufgewachsen bin. Das konnte ich mir überhaupt nicht vorstellen. Ich wollte weg, das wurde mir zu eng und engstirnig. Dort hätte ich mich immer auf eine bestimmte Herkunft und bestimmte Rollen festgelegt gefühlt. Heute, nachdem ich seit fünfzehn Jahre weg bin, in verschiedenen Städten gelebt habe, kann ich es mir wieder vorstellen.

Dann das Leben auf dem Hof der Eltern, das Arbeiten mit den Eltern, auch das wäre für mich auf Dauer nichts gewesen. Auf die Konflikte, die jede Veränderung ausgelöst hätte, wollte ich mich nicht einlassen. Und die Veränderungen wären unvermeidlich gewesen, schon allein, weil ich den Hof ganz sicher biologisch bewirtschaftet hätte. Für meinen Vater wäre das vor fünfzehn Jahren nur Spinnerei gewesen. Außerdem hätte er sowieso immer alles besser gewusst, weil er ja alles schon viel länger gemacht hat. Heute fragt er mich zaghaft, ob ich den Hof nicht doch übernehmen will und auf Bio umstellen. Bei ihm und auch bei meiner Mutter hat wohl immer so eine stille Hoffnung geschwelt, dass ich doch noch einsteige. Auch dies, das Leben und Arbeiten auf dem Hof meiner Eltern, könnte ich mir heute, mit der notwendigen Distanz, der eigenen inneren Unabhängigkeit und Souveränität vorstellen.

Tatsächlich ist aber die Entscheidung schon viel früher gefallen, noch bevor mir dieses Streben nach Unabhängigkeit bewusst wurde. Einerseits durch die schulische Laufbahn. Der Gedanke, nach dem Abitur etwas mit Landwirtschaft zu machen, kam mir gar nicht in den Sinn: Fürs Bäuerin-Sein braucht's ja schließlich kein Abitur.

Als Kind habe ich aber schon gespürt, dass mir Landwirtschaft, so wie ich sie kannte, allein nicht reichen würde. Ich wollte auch intellektuell gefordert sein. Deshalb hatte ich als Kind die Idee, ich möchte Bäuerin und Lehrerin für Landwirtschaft sein. Ich hatte aber keine Vorstellung, wie das geht, und was ich da konkret werden könnte. Später haben dann andere Berufswünsche diese Idee verdrängt.

Heute bin ich wieder an dem Punkt, wo ich genau so etwas suche. Nicht unbedingt Bäuerin und Lehrerin sein, sondern als Person ganzheitlich gefordert sein – praktisch und intellektuell. Mir fehlt die Balance zwischen dem Praktischen und Schöpferischen und der geistigen Arbeit. In meiner jetzigen beruflichen Situation überwiegt ganz eindeutig die Kopfarbeit und das ist nicht wirklich mein Ideal.

Inzwischen weiß ich, dass gerade die Landwirtschaft viel bieten würde, um die Balance zwischen Kopf und Hand zu schaffen. Doch jetzt scheint es mir zu spät, jetzt wage ich den Schritt nicht mehr, jetzt wurden andere Vorentscheidungen getroffen, beruflich und privat andere Wege eingeschlagen – nur die gewisse Wehmut bleibt. Doch wer weiß, was das Leben noch so bringen wird.

Jenseits von Arbeit und Müdigkeit

„Die älteste von vier Geschwistern zu sein, war noch ein Job für sich. Erst wenn alles fertig war, kam mein Lieblings-Hobby dran: Handarbeiten."

Der Apfel fällt meist weit vom Stamm? Ja und nein. Denn vieles, was ich unbedingt vermeiden wollte, ist doch eingetreten. Aber der Reihe nach. Aufgewachsen bin ich in einem größeren Dorf in der Südpfalz, als älteste von vier Geschwistern. Wir bewirtschafteten einen damals für die Region typischen Gemischtbetrieb mit Vieh, Tabak, Getreide, Kartoffeln, Zuckerrüben, Futterbau, mit beengter Hofstelle, ein paar alten Maschinen und viel Handarbeit. Meine Mutter war elf Monate im Jahr für die Außenarbeiten, das hieß im Winter Tabak sortieren, eingeplant, ganzjährig fürs Melken. Trotzdem hatte vor allem sie Scheu vor Fremdarbeitskräften, weil das Kochen angeblich noch eine größere Belastung für sie war.

Jetzt lebe ich seit zehn Jahren mit meinem Mann auf unserem Biolandbetrieb in der Nordpfalz, den wir von seinen Eltern gepachtet haben. Wir haben zwei Kinder, acht und sieben Jahre alt. Und wir haben unglaublich viel Arbeit, obwohl wir uns nicht scheuen, Aushilfskräfte zu beschäftigen. Mit permanenten Mitarbeitern hatten wir bisher leider wenig Glück. Seit wir die Milchviehherde vor fünf Jahren abgeschafft haben, ist der Betrieb viehlos. Wir bauen schwerpunktmäßig Kartoffeln und Gemüse in großer Vielfalt an, mit Vermarktung auf allen Ebenen, vom eigenen Hofladen bis zum Verarbeitungsgemüse. Meine Bereiche sind der Hofladen, Haushalt, Kinder und ein Großteil der Büroarbeit.

Früher habe ich es oft verflucht ständig helfen zu müssen, fest eingeplant zu sein. Dafür habe ich schon früh die Erfahrung gemacht, eine feste Aufgabe oder Tätigkeit zu übernehmen.

Andere haben Instrumente spielen gelernt, waren im Sportverein oder hatten zumindest ein paar Rollschuhe, außerdem „ihre" Stars und die Bravo. Ich hatte keine Zeit für so etwas. Mindestens von Mai bis Oktober war ich für die Außenarbeiten fest eingeplant, so ab dem Alter von neun Jahren, schätze ich. Zwar nicht täglich, doch wenn es angeordnet war, gab es so gut wie keine Ausreden. In meiner „Freizeit" habe ich, sofern es die Schulaufgaben zuließen, noch Hausarbeit erledigt: Kuchen gebacken, Socken gestopft. Die älteste von vier Geschwistern zu sein, war noch ein Job für sich. Erst wenn alles fertig war, kam mein Lieblings-Hobby dran: Handarbeiten. Irgendwann haben wir Kinder Taschengeld eingefordert, das gab es dann auch, wurde aber mit zusätzlichen Haushaltspflichten belegt und es durfte auch nicht für Süßigkeiten ausgegeben werden. Wir hatten einen Fernseher und ein Radio, auf dem nur ein Programm gehört werden durfte, weil es aus Altersschwäche andere Sendereinstellungen nicht ausgehalten hätte. Lesen, außer für die Schule, war daheim nicht besonders gut angesehen; da käme man nur auf dumme Gedanken. Später sollte ich dann selbst entscheiden, ob ich aufs Gymnasium gehen wollte; da ich mir nicht viel drunter vorstellen konnte, wollte ich nicht. Nur die Überzeugungsarbeit meiner Lehrerin hat mich dann, zögerlich, zustimmen lassen. Ich weiß nicht mehr, wieso ich mit relativer Leichtigkeit das Abitur geschafft habe. Ich war wohl recht begabt für die schulischen Anforderungen, habe mir aber kaum Allgemeinbildung erworben. Wenn meine Mitschülerinnen mich überfielen, um bei mir Mathe zu lernen, war ich meist genervt, weil es mich von meinen anderen Tätigkeiten abhielt.

Obwohl die Gegend recht ländlich war, ich viele Geschwister hatte und kein eigenes Zimmer, fühlte ich mich mit unserem Hof sehr verbunden. Kaum zu glauben – wir haben oft zu viert abends, nach der Feldarbeit, am Küchentisch gesessen und Hausaufgaben gemacht, während nebenbei noch die „Milchleute" gekommen sind, die ihre Frischmilch abholten. Richtige Freundschaften hatte ich, aus heutiger Sicht, bis zur Teenagerzeit kaum. Alles Luxus. Meine Eltern hatten auch keine, zumindest keine, die sie gepflegt hätten. Sich heute vorzustellen, wie man das damals empfunden hat, ist schwierig; ich war wohl lange der Meinung, ich sei anders als alle anderen, fühlte mich eher unbehaglich in meiner Haut, wenn es um den Kontakt mit anderen ging.

Was wäre ich so gerne mal in Urlaub gefahren mit den Eltern, um sie einmal jenseits von Arbeit und Müdigkeit kennen zu lernen. Alle sind weggefahren, nur wir nicht. Die Tabakernte fiel immer in die Sommerferien und jeder, der Hände hatte, war vom ersten bis zum letzten Tag mit eingeplant. Wir haben uns dann immer möglichst viele Regentage gewünscht.

Die Zeit bis zum Abitur verlief für mich eher freudlos und ohne ausgeprägte Pubertätserfahrungen. Nur wenige Erinnerungen wecken warme Gefühle in mir – da war keine Geborgenheit, keine Nestwärme. In anderen Bauernfamilien im Dorf sah es zu der Zeit ähnlich aus, was das Eingebundensein der Kinder in Betriebs- und Haushaltspflichten betraf. Doch gab es meist eine Oma, die zu ihren Enkeln eine intensivere Beziehung pflegte als die Eltern, die einfach da war und Zeit hatte.

Ich hatte immerhin bis zum Alter von drei Jahren eine intakte „Tagesfamilie", meine „Dande-Mamme", eine ältere Tante. Sie, ihren Mann und ihre kinderlose Tochter besuchte ich oft. Dann gab es noch einen Lieblingsonkel, der leider zu weit weg wohnte. Ihm konnte ich mich vollkommen anvertrauen; bis heute pflegen wir einen intensiven Kontakt. Und zum Glück hatten wir in unserer katholischen Gemeinde einen ungemein lockeren Pfarrer, so dass das religiöse Leben, das einen wichtigen Platz einnahm, eher befreiend wirkte.

Wie kann man so aufwachsen, ohne fürs ganze Leben verpfuscht zu sein? Mittlerweile kann ich wenigstens sagen, es war im vorigen Jahrtausend! Ich stehe oft ratlos vor meinem eigenen Erziehungsanspruch und tue mich schwer damit, meinen Töchtern das zu geben, was ich vermisst habe.

Zwischen Elternhaus und eigener Hof- und Familiengründung gab es ein Agrarstudium und einige Lehr- und Wanderjahre. Da habe ich es mir richtig gut gehen lassen. Da warf ich mich in den Strudel des Lebens. Konnte, nachdem ich Hochdeutsch gelernt hatte – bis zum Abi schlug ich mich beim Reden mit Pfälzisch durch –, plötzlich frei aufspielen, konnte so vieles abschütteln, was mit Elternhaus und Pflichten zu tun hatte. Habe intensive Freundschaften geknüpft und kam, dank meiner Erziehung zur Sparsamkeit, mit Bafög und einigen kleinen Jobs gut über die Runden. Ein Jahr lang machte ich ein Praktikum in einem Minibetrieb in Frankreich, wo ich wenig für meinen Beruf, aber viel über die Menschen und das Leben gelernt habe. Die Eltern und die Arbeit zu Hause habe ich zu der Zeit ganz schön vernachlässigt. Meine jüngeren Geschwister waren ja noch vor Ort, jetzt sollten die mal ran. Sie waren in ihrer Jugend zwar auch nicht gerade geschont worden, hatten es aber doch um einiges leichter gehabt. Sie hatten aber auch im Schatten meines Perfektionismus gestanden, denn wenn mal wer gelobt wurde, dann am ehesten ich. Zumindest für meine Schwester war es eine Befreiung, als ich weg war. Bei mir meldete sich nur manchmal das schlechte Gewissen, da ich wahrscheinlich alleine später den Betrieb übernehmen würde und mich in der Zwischenzeit so rar machte.

Erst am Ende des Studiums wurde es „eng" in mir, das heißt ich bekam Anfälle von Bauchschmerzen, die mich seither begleiten. Die unbeschwerte Zeit war zu Ende. Ich musste eine Entscheidung treffen, erwachsen werden. Ich wusste so vieles, was ich nicht wollte, und kaum, was ich wollte. Es ist dann wieder praktische Landwirtschaft geworden, natürlich Bio. Dass ich mich mit Bio-Landbau beschäftigen würde, war eigentlich klar für mich, seit ich mit siebzehn zum ersten Mal davon gehört hatte, von unserem katholischen Pfarrer. Eine Herzensentscheidung.

Es waren damals die Jahre der überfüllten Agrar-Studiengänge und die Aussichten auf wirklich interessante Stellen waren gering. Ich hatte keine Lust, mich auf Stellen in Agrarchemie oder Müllverwertung zu bewerben, nur um etwas Berufserfahrung zu bekommen. Nein, ich wollte kompromisslos nur das Gute. Erst einmal habe ich dann auf einer Alp gearbeitet und gehofft, oben auf dem Berg käme die Erleuchtung. Dann habe ich zwei Jahre auf einem anthroposophischen Hof gelebt. Während der Zeit habe ich die Idee aufgegeben, den elterlichen Hof umzustellen, und ihnen quasi erlaubt, die Rente zu beantragen. Leider ist mein Vater dann schwer krank geworden und aus der erhofften schönen Frührentnerzeit ist nichts geworden. Wie hätte ich meinen Eltern das doch gegönnt. Ich habe mich dann sogar nach Berufsalternativen umgesehen, wollte umschulen, kam wieder arg ins Grübeln.

Kurze Zeit später lief mir mein jetziger Mann über den Weg. Nach einer sehr kurzen Kennenlernphase haben wir beschlossen, von nun an gemeinsam unsere Träume zu verwirklichen.

Was hatte ich hehre Ziele damals: Alles besser machen, menschlicher, strukturierter, den – noch nicht vorhandenen – Kindern die Qualität von Arbeit nahe bringen. Zunächst haben wir lange gebraucht, bis wir den Hof umstrukturiert hatten. Der Betrieb lief von der Vermarktung her von Anfang an gut; mein Mann und ich sind in die Arbeit abgetaucht, haben die Kinder zur Oma gebracht und produziert und verkauft, was das Zeug hielt, nachts und am Wochenende Büroarbeit erledigt, vergessen zu investieren, nichts an der eigenen Wohnung gemacht. Und wir haben als Arbeitsteam hervorragend funktioniert, haben auch nach außen hin recht harmonisch gewirkt, aber das Privatleben beschränkte sich auf zwei Wochen Jahresurlaub, wobei in dieser Zeit meistens noch einer von uns krank wurde. Unsere Ehe war umso mehr in Gefahr, als wir kaum auf eine unbeschwerte Anfangszeit zurückblicken konnten; wir waren zwar heftig verliebt gewesen damals, ich bin aber bereits nach wenigen Wochen zu ihm gezogen und habe mich in die Arbeit gestürzt. Das erste Jahr war auch ganz schön. Wir konnten auf die gute Betriebsbasis der Schwiegereltern zurückgreifen und die eigenen Ideen kreativ umsetzen. Dann wurden innerhalb von eineinhalb Jahren die beiden Mädels geboren. Zunächst habe ich versucht mich herauszuhalten aus dem Betriebsgeschehen. Als die Jüngere ein Jahr alt war, haben wir uns von unserem fest angestellten Mitarbeiterpaar getrennt und den Betrieb überwiegend mit Aushilfen und dem Schwiegervater bestritten. Ich hatte auch erst mal genug von meiner Babypause und war froh, dass die Oma sich als Babysitterin anbot. Dann nahm das Geschehen seinen Lauf. Jeden Winter haben wir uns vorgenommen, uns stärker zu beschränken, und als es an das Bestellen des Saatgutes ging, waren wir wieder voll dabei. Die Erkenntnis, dass wir mehrere Jahre Steuern ohne Ende bezahlt haben, meine gesundheitlichen Probleme zunahmen und nicht zuletzt zu sehen, dass die Kinder immer größer wurden und genauso nebenherliefen wie ich in meiner Kindheit, haben mich vor zwei Jahren innehalten lassen.

Aber welch ein schwerer Prozess, eine so lange verinnerlichte Lebenshaltung zu lockern, Veränderungen wirklich durchzuziehen, sich von Rückfällen nicht entmutigen zu lassen. Immer noch klopft das schlechte Gewissen an, wenn ich unter der Woche mal einen Nachmittag was „nur" mit den Kindern mache, während mein Mann „richtig" arbeitet, wenn ich mir einen Luxus erlaube, den ich zumindest durch eine abendliche Büro-Session wieder ausgleichen muss. Dieses Spannungsfeld zwischen funktionieren und loslassen bereitet mir nun schon so lange Bauchschmerzen, so sehr, dass es mich immer wieder in Panik versetzt, dass ich Angst habe, schwer krank zu sein. Viele Besuche bei Ärzten und Heilpraktikern habe ich hinter mir. Jetzt mit knapp vierzig komme ich dem Geheimnis näher, kann ich einige von den vielen Fäden verknüpfen und bin manchmal sehr erstaunt, wie viel mir wieder einfällt von früher. Ich habe nicht gelernt, mich selber wichtig zu nehmen und mich auch so zu behandeln. Das Sein war definiert durch die erledigte Arbeit. Ich war „das fleißige Mädel, das daheim hilft und noch gute Noten nach Hause bringt." Dass ich mir dabei noch zusätzliche Pflichten auferlegt habe, denn die Hausarbeit wurde teilweise in der Intensität so gar nicht von mir verlangt, sehe ich heute als die verzweifelte Suche nach Anerkennung. Sich spüren im alltäglichen Sein, nicht nur im Aktionismus bis an die eigenen

Grenzen, das ist mein aktuelles Lebensziel. Es passiert mir neuerdings schon einmal, dass ich außerhalb der Urlaubstage ein Buch lese, entspannt Musik höre oder gar ein Mittagsschläfchen mache. Ich bin richtig glücklich, wenn ich mal was vergesse. Vermutlich hat auch meine Umgebung ziemlich unter meinem Perfektionismus gelitten. Auch das Verhältnis zu meinem Mann und den Kindern hat sich entspannt, seit ich nicht mehr überwiegend die „Schrei-Mama" bin.

Momentan tun wir uns schwer damit, die Kinder langsam an kleine Aufgaben in der Familie heranzuführen. Wir haben sie bisher vor allem deshalb davor bewahrt, damit es ja nicht so wird wie früher. Es ist gar nicht einfach für mich wohldosierten sanften Druck auszuüben, solange das Thema bei mir selbst noch ein wunder Punkt ist.

Ich verurteile meine Eltern nicht. Sie hatten ihre Zwänge, wussten vieles nicht besser. Wir waren nicht arm, es musste aber ständig gespart werden, für dringende Investitionen, auch für ein neues Wohnhaus. Das Erbe, das sie übernommen hatten, war ein Überbleibsel der Realteilung. Fast alle ihre Geschwister waren auch Bauern geworden und mussten sich ähnlich durchschlagen. Es war eine harte Nuss für die Eltern, dass am Ende keines der vier Kinder den Betrieb weitergeführt hat. Für meine Geschwister war schon früh klar, dass sie nichts mehr mit Landwirtschaft zu tun haben wollten. Sie haben sich damals auch nicht so unendlich bemüht und angestrengt wie ich. Aber ganz schön ehrgeizig sind sie auch geworden.

In Kürze werde ich vierzig Jahre alt und habe ein gutes Gefühl dabei. Beim letzten Treffen mit meiner Familie hat mir mein Schwager Vorschläge für neue Hofprojekte gemacht. Ich habe ihm ganz cool geantwortet, ich fände, ich hätte schon genug gearbeitet in meinem Leben; ich wolle jetzt kürzer treten. Dass mir meine Mutter öffentlich zugestimmt hat, war ein kleiner Triumph für mich.

Mit Respekt und viel Distanz

„... und ich kann mir manchmal selbst kaum noch vorstellen, dass ich vor knapp einem Jahr mit dem Geländewagen durch die Anden gedüst bin ..."

Wer hätte das gedacht, dass ich im stolzen Alter von fünfunddreißig Jahren nun wieder auf dem Bauernhof meiner Eltern lebe. Nix Besonderes für Bauerntöchter, es soll ja auch Hofnachfolgerinnen geben, könnte mensch jetzt entgegenhalten. Doch das bin ich nicht. Ich bin hier auf Zwischenstation.

Nach dem Abitur habe ich ganz ordentlich Agrarwissenschaften in Hohenheim studiert. Doch mein Ziel war schon bei Studienbeginn: Lateinamerika. Und so war es nur natürlich, dass ich nach dem Studium in verschiedenen Regionen Brasiliens und Perus als Entwicklungshelferin gearbeitet habe, dort geheiratet habe und dass auch meine Tochter dort geboren ist. Nach sieben Jahren in verschiedenen Regionen Lateinamerikas stand mir der Sinn nach Neuem und meinen Mann verlangte nach Stabilität. Schließlich sind wir ja nun für unsere kleine Tochter verantwortlich. Und da die wirtschaftliche Lage in Lateinamerika bekanntlich schlechter ist als in Deutschland, beschlossen wir, uns hier sesshaft zu machen. Dass wir dabei ausgerechnet am Ausgangspunkt meiner Wanderbewegungen gelandet sind, liegt nicht nur an den schönen Erinnerungen an Strohduft, Schlittenfahrten und ausgedehnten Entdeckungstouren im Wald hinterm Haus. So ein Bauernhof bietet auch ganz handfeste Vorteile.

In dem großen Wohnhaus gibt es auch noch Platz für uns drei. Und so wohnen wir nun in einer Großfamilie. Beinahe lateinamerikanische Zustände: Im unteren Stockwerk leben meine Schwester und ihr Mann, auf den anderen beiden verteilt leben meine Eltern, mein Bruder und wir drei mit- und nebeneinander. So ähnlich war es auch schon in meiner Kindheit. Auch damals vor über zwanzig Jahren haben wir in drei Generationen hier gelebt: Großeltern, Großtante, Eltern und Geschwister.

Manchmal finde ich es wirklich schön, beinahe bilderbuchhaft, wenn meine kleine Tochter umringt von meiner Schwester und meinen Eltern laut lacht und daraufhin ihrem ergebenen Publikum schon mal in der Nase bohrt. Oder es ist auch einfach fantastisch, morgens das Kind immer jemandem in die Arme drücken zu können, um selbst mal völlig ungestört ins Bad zu verschwinden. Doch die Nähe hat auch ihren Preis. Wo beginnt in der Großfamilie die Intimsphäre, an der Tür zum Schlafzimmer oder an der zum Badezimmer? Da vieles zusammen gemacht wird, und jeder auch gerne mal einspringt, etwa um das heulende Baby zu retten oder um zum Essen zu rufen, werden diese Schwellen schnell überschritten. In Zeiten des tragbaren Telefons wird das Gerät auch schon mal zum Wickeltisch im Schlafzimmer nachgebracht. Lachen oder Weinen, wenn plötzlich einer ins Zimmer kommt, weil er das Baby so nett hat plappern hören?

Und unvermittelt sind Momentaufnahmen aus meiner Kindheit wieder ganz nah. Die Großmutter, die sonntags morgens einfach ins Zimmer kam, um uns in den Kindergottesdienst zu schicken: Wenn meine Eltern schon nicht gingen, sollten wenigstens wir auf den rechten Weg gebracht werden. Oder wenn sich die Großtante in die Kinderstreite meiner Schwester und mir einmischte, um ihren Liebling vor mir, der bösen Schwester, zu retten. Aber eben auch die Erinnerung daran, mit welcher Begeisterung mich eine weit gewanderte Schulfreundin auf dem Hof besuchte, weil er ihr so viel Stabilität vermittelte.

So viel Nähe ist ein Kontrastprogramm zu den Jahren Singleleben als Entwicklungshelferin, als nach Bauernbesuchen und Teamsitzungen zu Hause niemand wartete. Und da war auch niemand, der beanspruchte, mich richtig zu kennen: zu wissen, was ich esse, was ich als

Kind gegessen habe, wie ich mich kleide, wie ich meine Kleider bügle, was mich anstrengt, worüber ich lache, wie ich mit Geld umgehe, wie ich arbeite und wie ich nach dem Aufstehen aussehe. Mein Privat- und mein Arbeitsleben waren getrennt. Und ich war die Ausländerin, an die sich meine Kollegen und Nachbarn erst langsam annäherten. Auf dem Bauernhof kann dagegen jeder Hausbewohner etwas zu beiden Lebensbereichen der anderen sagen. Hier wird nicht nur Freizeit, sondern auch Arbeitszeit miteinander geteilt. Denn auch wenn heute nur noch meine Eltern direkt von der Landwirtschaft leben, wird immer noch viel zusammengearbeitet. Arbeitsspitzen, wie etwa Strohernte oder die halbjährliche Reinigungsaktion im Stall, sind nur zu schaffen, wenn alle Hausbewohner mit anpacken.

Bei so viel physischer Nähe zu Eltern und Geschwistern fühle ich mich schnell eingeengt. Denn oft wird vieles von dem, was ich heute sage, mit dem, was ich vor Jahren gesagt oder gemacht habe, verglichen und von den anderen Hausbewohnern kommentiert. Die dazwischenliegenden Jahre scheinen da auf einmal ausgelöscht und ich kann mir manchmal selbst kaum noch vorstellen, dass ich vor knapp einem Jahr mit dem Geländewagen durch die Anden gedüst bin und auf jedem Dorffest die „gringa", die Ausländerin, war, der man mit Respekt und viel Distanz begegnete.

Distanz, das suche ich nun wieder. Und ich vermute, das tut jeder und jede in unserem Haushalt: mein Bruder, der sich an den Wochenenden in seinem Computerzimmer verschanzt, ebenso meine Mutter, die viele, viele Stunden in ihrem Garten bleibt, oder wir bei unseren langen Spaziergängen durch die weiten Felder, die unseren Hof umgeben.

Und das ist die andere Seite des Lebens auf dem Hof meiner Eltern: Es gibt unheimlich viel Platz rundherum. Das nächste Dorf ist über einen Kilometer entfernt. Kein Haus versperrt den Blick über Felder, Feldwege, Strommasten und einige Obstanlagen. „Hombre – cuanto paisaje" (Mann – so viel Landschaft), meinte mein Mann, der sein bisheriges Leben in einer Millionenstadt verbracht hat, als wir hier ankamen. Viel freier Platz, Weite. Gleichzeitig bedeutet diese Weite aber auch Abgeschiedenheit. Zu unserem Hof fährt nur, wer auch zu Besuch kommen will. Und wenn mensch jemand anderen sehen will, braucht er ein Auto oder mindestens ein Fahrrad. Mobilität war für mich schon immer ein Thema. Als Kind und Jugendliche habe ich die Schule genossen, denn es fuhr jeden Tag mehrmals der Bus in die Stadt. Das bot mir und meinen Geschwistern tagsüber Bewegungsfreiheit und die Möglichkeit, Freundinnen zu treffen. Und eigentlich habe ich all die Jahre den Weg zur Schule genossen: die Radfahrt im Sommer, die Busfahrt und die Fußmärsche bis zur Bushaltestelle im Winter; besonders Letztere, wenn der Wind auch manchmal arg rau ins Gesicht biss. Während ich durch den Schnee stapfte, dachte ich mir Geschichten aus: Die Krähen verwandelten sich in Odins Raben Hugin und Mugin oder Old Shatterhand ritt durch verschneite Prärien zu seinem nächsten Treffen mit Winnetou.

Mein Schulweg war sicher ein gutes Training für den späteren Alltag in abgelegenen Entwicklungsprojekten, wo aus einer Stunde Weg, etwa durch einen Erdrutsch, manchmal Tage wurden. Entfernung schreckt mich nicht so schnell: Was sind schon zweihundert Kilometer Autofahrt und tausend Kilometer im Flugzeug für einen Zahnarztbesuch? – Natürlich vorausgesetzt, es steht ein Transportmittel zur Verfügung. Logisch, dass der Tag, an dem ich den Führerschein bekam und auch gleich in ein eigenes Auto steigen konnte, mein Leben bedeutend veränderte. Die Gewissheit, (weit) wegfahren zu können, wann immer ich das Bedürfnis dazu habe, hilft mir, einigermaßen gelassen zu bleiben, auch wenn es eng wird. Und warum nicht wieder mit Sack und Pack in einen Flieger steigen, wenn es mit dem Einleben und der Jobsuche in Deutschland nicht klappt? Unserer Tochter macht Reisen zum Glück auch Spaß.

Ob es jedoch bei der nächsten Rückkehr den Bauernhof als Anlaufstelle noch geben wird, weiß in Zeiten des Strukturwandels keiner.

Der Apfel muss Flügel gehabt haben

„Flügel und doch Wurzeln zu haben, erlebe ich zunehmend als beglückend. Früher hat mich der Widerspruch zwischen ‚Wegfliegenwollen' und bäuerlicher Bodenhaftung oft verrückt gemacht."

Meine eigene Geschichte erzählen – nach anfänglicher Begeisterung spürte ich starke Widerstände in mir aufkeimen. Wieso eigentlich? Hatte ich doch das, was man eine glückliche Kindheit nennt: Als zweites von fünf Geschwistern wuchs ich auf einem Aussiedlerhof in der Geborgenheit einer heilen, evangelisch-württembergischen Bauernfamilie auf. Die unendliche Weite der Felder und Wälder als kindlicher Spielradius war selbstverständlich, es gab keine Katastrophen oder andere Schicksalsschläge.

Natürlich gab es Fast-Katastrophen. Als ich zum Beispiel wenige Wochen vor meinem ersten Schultag noch immer nicht Fahrrad fahren konnte und deshalb den ersehnten Schulbeginn in Gefahr wähnte. Zur Schule waren es immerhin drei Kilometer. Nur durch allergrößte Anstrengung und Stützrädchen blieb mir diese Schmach erspart. Oder noch früher, als mein zweijähriger Bruder in meinem und dem Beisein meiner Freundin in den nachbarlichen Fischteich fiel. Ich selbst war in diesem Moment wie gelähmt vor Schreck. Zum Glück war meine vierjährige Freundin beherzter, packte ihn am Kragen und zog ihn heraus.

Was ist es eigentlich, das mir heute, beim bewussten Erinnern an die Kindheit auf dem Lande ein Gefühl der Enge bereitet?

War es die ständig spürbare Geldknappheit? Meine Mutter ist dieser Beklemmung dadurch begegnet, dass sie möglichst alles ausgab, was da war. Heute kann ich sehen, wie sie damit ein Flair von Lebensfreude und einen trügerischen Hauch von Wohlhabenheit in unser Leben gezaubert hat. Damals löste dieser Charakterzug gemischte Gefühle bei mir aus, denn ich identifizierte mich auch mit der bäuerlichen Schwere meines Vaters.

War es die ideologische Strenge einer pietistischen Lebenswelt? Atmosphärisch waren wir Kinder dieser einengenden Religiosität ganz und gar ausgeliefert. Zu unser aller Glück ließen sich meine Eltern nach und nach religiös verunsichern und gaben damit dem selbstständigen Denken eine Chance. Trotzdem habe ich mein halbes Leben damit verbracht, dieses zellulär wirkende Gift aus meinem Leib und meinem Hirn zu entfernen. Inzwischen fange ich an, mich zu versöhnen mit diesen Wurzeln. Sie haben in mir eine tiefe Sehnsucht nach echter Spiritualität geweckt und mich zu einem kritischen Geist werden lassen.

War es die familiäre Enge in einer großen Geschwisterreihe? Eigentlich wollte ich am liebsten ein Einzelkind sein. Es hieß immer etwas abfällig, diese seien verwöhnt. Ich konnte nie verstehen, was daran schlecht sein soll, verwöhnt zu werden. Als unser jüngster Bruder geboren wurde, haben wir ihn mit kindlicher Grausamkeit ganz schön malträtiert. Das tut mir bis heute Leid, ich versäume es aber immer wieder, das als Erwachsene auszusprechen und damit vielleicht wieder ein bisschen gutzumachen. Heute habe ich drei wunderbare Brüder, auf die ich sehr stolz bin, und eine ältere Schwester, zu der ich immer wieder tiefe gedankliche und emotionale Nähe herstellen kann. Auch wenn alte Verletzungen, die wir uns zugefügt haben, dicht unter der Oberfläche lauern.

Vielleicht rührte das Gefühl der Enge auch daher, dass meine kindliche Selbstvergessenheit immer wieder ein jähes Ende fand. Als beispielsweise unser Grundschullehrer Herr Kugler, den ich sehr liebte, einmal für den nächsten Tag den Schulrat ankündigte. Natürlich wollte ich ein schönes Heft vorzeigen und riss alle fehlerhaften Seiten raus. Wie groß war meine Verzweiflung, als ich nach Vollendung meiner Reinigungsarbeit eine Lose-Blatt-Sammlung von ganzen zwei ausreichend schön beschriebenen Blättern vorfand.

Oder als ich ein anderes Mal mit meiner Freundin Gisela auf dem ewig langen Nachhauseweg unsere Schulranzen in einem Brunnen schwimmen ließ. Zu meiner Überraschung und größtem Entsetzen fand ich zu Hause im Ranzen lauter nasse Schulbücher und Hefte mit zerlaufener Tinte.

Ich wollte im Grunde immer ein gutes Kind sein. Allein, es gelang mir fast nie. Ein stilles, kränkelndes Kind mit Brille, Zahnspange und Hörgerät zu sein, wäre mir am liebsten gewesen. Zumindest wollte ich in die Kinderkur, wie meine dünne Freundin. Ich war aber leider nicht dünn, noch war ich kränkelnd und schon gar nicht still. Deshalb hatte ich mich in der Schule neben ein solches Vorbild gesetzt. Als ich einmal vor lauter Freude darüber, dass ich eine Frage unseres Lehrers Kugler spontan beantworten konnte, den Arm zum Strecken derart begeistert in die Luft warf, dass ich dabei die Brille dieser heimlich bewunderten kränkelnden Tischnachbarin zerschlug, war es mit meiner Fassung vorbei. Ich empfand tiefe Scham.

In der Pubertät verwandelte sich selbst die endlose Weite der Felder und Wälder für mich zu einem Gefängnis. Und ich wurde mir selbst zum Gefängnis, in dieser schrecklichen Zeit. Der Übergang vom Kind zur Jugendlichen gestaltete sich für mich derart schwierig, dass ich noch Jahre brauchte, um mich davon zu erholen.

Mit dem Fahrrad in die nächste Kleinstadt fahren zu müssen

und von dort mit dem Bus in die Stadt, empfanden meine Freundin und ich als solch eine schmachvolle Mühseligkeit, dass wir – einmal in der Stadt angekommen – gar nicht mehr wussten, was wir dort machen sollten. Die Abgeschiedenheit auf dem Aussiedlerhof machte zwanglose Jugendfreundschaften und lockeres Cliquenleben nicht möglich und der pietistische Grauschleier über dem Thema Sexualität und Religion erzeugte nichts als Fragen, die nie gestellt wurden. Zum Glück gab es die „Bravo".

Meine Kinderfreundin und Nachbarin war in der Hauptschule geblieben und es gelang mir nicht, als ich auf die Realschule ging, in der neuen Klasse Freundschaften zu schließen. So ging es auch mit den Leistungen bergab bis zur tiefsten Talsohle des „Wird-nicht-versetzt". Das war die einsamste Zeit meines Lebens.

Ganz unten angekommen, ging es langsam aber stetig wieder bergauf. Glücklicherweise waren „Sitzenbleiber" hoch angesehen, so wurde ich in der nächsten Klasse gleich zur Klassensprecherin gewählt. Das brachte mein völlig demoliertes Selbstwertgefühl wieder einigermaßen in die Balance und trieb meine Schulnoten zu ungeahnten Spitzen.

Mit siebzehn Jahren beendete ich meine Kindheit auf dem Lande. Zunächst ging ich für einige Zeit nach England. Mein Gefängnis nahm ich von zu Hause mit, das Heimweh holte mich dort ein.

Die nächsten Jahre waren geprägt von weiten, oft jahrelangen Reisen nach Israel, Südamerika und Indien, unterbrochen vom Studium an einer kirchlichen Fachhochschule für Diakonie und Religionspädagogik und von meiner ersten Heirat. Ich suchte das Leben und die Freiheit irgendwo weit weg. Von dem kirchlichen Studium erhoffte ich mir seriöse theologische Antworten, um die Fesseln meiner pietistischen Indoktrination etwas zu lockern. Durch meine Heirat verschaffte ich mir zunächst Ruhe in den drängenden Fragen nach weiblichem Selbstverständnis, Sexualität und Beziehungen zu Männern.

Der Bruch kam nicht plötzlich, es war eher wie ein Abbröckeln: die Scheidung, der Berufswechsel, die immer tiefere Ablösung von der Kirche, neue Partnerschaft.

Durch Wachstum des Echten konnte viel Unechtes absterben.

Wie weit weg ist dieser Apfel nun vom Baum gefallen? Sehr weit und doch sehr nah.

An schönen März-Tagen löst bei Spaziergängen der Geruch nach frischer Erde manchmal spontan tiefe Heimat-Gefühle in mir aus. Am stärksten, wenn dieser Geruch mit einem Hauch Diesel gemischt ist.

Ich habe in meinem Leben ein reifes Gefühl von Verwurzeltsein, von Stabilität und Sicherheit. Dieses unschätzbare Geschenk habe ich der Heimat meiner Kindheit und der Geborgenheit meines Elternhauses zu verdanken.

Andererseits gibt es ein starkes Bestreben nach Freiheit, nach „Weiterziehen" und Unsicherheit. Das Erleben von weiter Natur hat dazu wohl ebenso seinen Beitrag geleistet wie die langen, oft nächtlichen Diskussionen mit den Eltern, insbesondere mit meiner Mutter. Sie haben meinen freien Geist geschärft und mein eigenständiges Denkvermögen geschult.

Seit vielen Jahren lebe ich in der Stadt und bin froh, dass ich keinen Garten zu pflegen brauche. Balkonkästen sind mir schon zu viel. Tiere wären undenkbar.

Trotz traditionell kinderreicher Verwandtschaft habe ich keine Kinder. Mein Bedürfnis nach Unabhängigkeit ist immer größer gewesen.

Beruflich bin ich selbstständig und leite seit sechs Jahren einen visionären Frauen-Betrieb. Wir sind eine Gruppe von etwa zwanzig Frauen, die sich zum Ziel gesetzt haben, ihre weiblichen, spirituellen und sexuellen Wurzeln zu erforschen und weiterzugeben. Aus dem Selbstbewusstsein von kraftvoller Weiblichkeit heraus bieten wir Massagen aus der tantrischen und der taoistischen Tradition für Frauen, Männer und Paare an. Massagen, die zu tiefer Entspannung, zu körperlichem Genuss, dem Erleben von Sinnlichkeit einladen. Unsere Massagen können Paaren neue sinnlich-erotische Inspirationen geben oder Frauen die Erforschung ihres eigenen Körpers außerhalb von Beziehungen möglich machen. Männer sind eingeladen, sich vertrauensvoll fallen zu lassen und im Genießen neue Seiten an sich zu entdecken. Außerdem bieten wir Veranstaltungen und Seminare zu den Themen Partnerschaft, Beziehung, Liebe, Sexualität an.

Privat lebe ich seit Jahren in einer offenen, lebendigen, nicht-monogamen Ehe. Hier habe ich beides: mein Lebenselixier Freiheit und gleichzeitig Heimat und Geborgenheit. Durch einen gemeinsamen Prozess ist eine tief gehende Partnerschaft entstanden, in der ich keinen Entwicklungsimpuls unterdrücken muss.

Dadurch ist auch die Liebe zu einem anderen Mann möglich. Beide Beziehungen in Offenheit und Einvernehmen leben zu können, bedeutet für mich Glück.

Der Apfel ist scheinbar sehr weit vom Stamm gefallen, er muss Flügel gehabt haben.

Flügel und doch Wurzeln zu haben, erlebe ich zunehmend als beglückend. Früher hat mich der Widerspruch zwischen „Wegfliegenwollen" und bäuerlicher Bodenhaftung oft verrückt gemacht. Heute sehe ich darin zwei Pole, die sich bedingen und ergänzen. Für beide Pole bin ich dankbar. Ich habe viel bekommen und ich mache etwas daraus.

Tante Fines Lebenselixier

*„Ich plagte mich so lange, bis ich es nicht
mehr aushielt und Tante Fine mein Herz
ausschüttete. Dann war alles gut.“*

Ja, ich bin eine Bauerntochter.
Meine Kindheit – viele Bilder dazu habe ich nicht in mir. Unsere Großtante hat jedoch einen bleibenden Eindruck bei mir hinterlassen, denn sie hat uns mehr oder weniger aufgezogen. Wir – das bin ich, die Älteste, und sind meine drei Geschwister. Dieser Großtante Fine gegenüber hege ich ganz liebevolle Gefühle. Sie selbst hatte keine Kinder, und wir waren wohl der Ersatz dafür. Gott sei Dank.

Sie lebte bei uns mit im Haus, hatte ihre eigene Küche, aber das Mittagessen nahmen wir alle gemeinsam ein. Alle, auch die Mutter meines Vaters. Und die beiden – Tante und Großmutter – hatten ihre liebe Not miteinander. Oft kam es zu Streit und lautstarken Auseinandersetzungen, unter denen wir alle litten.

Wir Kinder standen immer auf der Seite unserer Tante, was wohl nicht zur Aussöhnung der beiden beitrug. Gefrühstückt wurde immer bei Tante. Es gab Kaba und sonntags abwechselnd Nutellakuchen, meinen Lieblingskuchen, und gefüllten Hefezopf. Bei Tante war es immer so gemütlich. In ihrer Küche stand ein Sofa. Wie oft weinte ich mich auf diesem Kanapee, wie sie es nannte, in ihrem Schoß aus, und wie gut konnte sie einen trösten.

Mama und Papa waren mit ihrer Landwirtschaft völlig ausgelastet und hatten kaum Zeit für uns. Mein Vater war und ist immer noch ein sehr wortkarger Mensch. Für mich war es schmerzlich zu erfahren, dass er uns Kinder immer nur eine bestimmte Zeit lang umarmen oder liebkosen konnte. Als Baby und Kleinkind hat er uns jeweils so lange in den Arm genommen oder mit uns geschertzt, bis das nächste Baby da war. Und als wir alle vier etwas größer waren, hörte er ganz damit auf. Er verschloss sich immer mehr, nahm auch keine Geschenke mehr zu Weihnachten oder am Geburtstag an und überließ meiner Mutter mehr oder weniger die Erziehung von uns Kindern. Alle Elternabende in der Schule besuchte nur sie, die Klassenarbeiten musste sie alleine unterschreiben – sie war oft überfordert. Und dann die beiden alten und streitenden Frauen im Haus. Die Situation war oft sehr belastend.

An ein Erlebnis erinnere ich mich noch ganz genau. Ich weiß nicht, wie alt ich war. Fahrrad fahren konnte ich jedenfalls schon und bin damit auf einer abgelegenen Straße von hinten auf ein stehendes Auto aufgefahren. Nicht aufgepasst, in die Luft geschaut – was weiß ich. Der Schreck war riesengroß. Der Fahrradlenker hatte sich bei dem Aufprall in meine linke Bauchhälfte gebohrt. Ob an dem Auto Schaden entstanden ist – ich weiß es nicht mehr. In Panik schaute ich mich um, sah niemanden und ergriff die Flucht. Die folgenden Wochen und Monate waren schrecklich. Ich traute mich nicht, mit jemandem darüber zu sprechen. An der Stelle, wo sich der Lenker reingebohrt hatte, fühlte ich eine Verhärtung, die meiner Meinung nach immer größer wurde. Nachts wachte ich aus Alpträumen mit der Angst auf, die Polizei würde mich abholen – alles sei herausgekommen. Ganz zu schweigen davon, wie ich mir Krankheiten einredete, die ich mir bei dem Unfall hätte geholt haben können. Ich plagte mich so lange, bis ich es nicht mehr aushielt und Tante Fine mein Herz ausschüttete. Dann war alles gut. Auch die Bauchschmerzen verschwanden spurlos. Wie diese Frau mir meine Last abgenommen hat, ist unbeschreiblich.

Viel arbeiten mussten wir als Kinder, das hat mir damals oft nicht gepasst. Wenn meine Freundinnen nach der Schule an die Jagst zum Baden gingen, war bei mir Weinberg- oder Ackerarbeit angesagt. Rüben hacken – endlos lange Reihen bei glühender Hitze. Oft schaffte ich an einem Nachmittag nur eine einzige Reihe. Frustrierend. Und die Schulaufgaben wurden natürlich mit rausgenommen und genauso wurde auf dem Feld für die nächste Klassenarbeit gelernt. Die Oma wollte nämlich ihre Ruhe vor uns haben.

Heute bin ich verheiratet und habe zwei Kinder im Alter von sieben und vier Jahren. Einen Landwirt habe ich geheiratet – ob man es glaubt oder nicht. Einen wundervollen, verständnisvollen, mir Freiheit gebenden Partner und ein wundervoller Papa unserer Kinder. Dass der Stall einmal nicht mein Arbeitsplatz werden sollte, das haben wir schon vor der Hochzeit ausgiebig miteinander besprochen. Nachdem sich dann ein Kind angemeldet und ich meine Bürotätigkeit aufgegeben hatte, haben wir unseren konventionellen Bauernhof in einen Gästebetrieb umgebaut. Heute können wir etwa sechzig Gäste unterbringen und verpflegen. Ein Heuhotel mit Ferienwohnung und Gästezimmern ist entstanden. Nach anfänglichen Bauchschmerzen hat sich jedoch relativ schnell herausgestellt, dass es die richtige Entscheidung war und der Betrieb läuft bestens.

Nun führen wir den Gästebetrieb und bewirtschaften noch die Weinberge und den Hof.

Nein, langweilig wird mir nie. Nur manchmal stoße ich an meine körperlichen und psychischen Grenzen und frage mich, warum ich nicht eine ganz normale Hausfrau und Mutter geworden bin. Aber dann kommen wieder die Momente, in denen ich genau weiß, dass ein solches Leben mich nicht ausfüllen würde. Ich brauche mehr.

Und ich genieße die Freiheiten, die ich als selbstständige Unternehmerin habe. Dadurch, dass auch Papa und Oma ständig Ansprechpartner für die Kinder sind, kann ich es mir durchaus erlauben, meinen eigenen Interessen nachzugehen, und weiß die Kinder bestens aufgehoben. Das ist für mich als Frau überaus befreiend.

Natürlich gibt es auch immer wieder Reibungspunkte auf unserem Hof. Dort, wo Alt und Jung zusammen leben und arbeiten, ist von beiden Seiten ein beständiges „Miteinander-neu-Anfangen" und „Aneinanderarbeiten" gefragt.

So gesehen bin ich hier an der richtigen Stelle, hier gehöre ich hin und fühle mich zu Hause. In nachdenklichen Momenten taucht auch immer wieder eine Person in mir auf – Tante Fine. Solche Augenblicke sind dann begleitet von einem Gefühl der Geborgenheit, des Beschütztseins – des Friedens.

... und ich blieb übrig

„Meine Schwestern waren bald weg, studierten – und ich blieb übrig. ‚Eine muss ja den Hof übernehmen‘, so fühlte ich oft, mein Weg schien mir schon fast vorgeschrieben, ...“

Es ist Winter auf der Ostalb, und das ist die Zeit, in der wir Bauersfrauen mehr Zeit für uns haben. Ich will sie nutzen, um über meine bald vier Jahrzehnte alte Lebensgeschichte nachzudenken.

An meine Kindheit habe ich wenig präzise Erinnerungen, es ist ein Gefühl geblieben, eines von geborgen sein, damals auf unserem Aussiedlerhof. Wir waren eine große Familie, vier Schwestern und ich war – ich bin – die Mittlere. Die Rollenverteilung war klar: Vater auf dem Traktor, im Betrieb und in den Ehrenämtern in der Gemeinde; Mama im Haus, Garten, bei den Kindern und im Stall. Wir Kinder hatten, je nach Alter, unsere Aufgaben zu erfüllen und mitzuhelfen. Da gab es den Stalldienst, das Ernten im Garten, das Heurechen, das Ballenladen beim Stroh, Handlanger sein in der Werkstatt, Abtrocknen, Einkaufen ... Doch wir hatten auch Zeit zum Hüttenbauen, Spielen, ausgiebig Streiten, hatten Freundinnen, Pferde, Musikunterricht, Jungschargruppe und auch mal Freizeitlager.

Es war eine behütete Kindheit, die ich erlebte, ereignisreich gewiss – aber auch voller Arbeit und Anforderungen, die der Betrieb stellte. „Ich lief so mit", denke ich und musste auf einiges verzichten, wir alle mussten es.

Nach der Schulzeit machte ich eine Lehre in der ländlichen Hauswirtschaft, war davon ein Jahr in der Fremde, bewegte mich aber auch im gewohnten Umfeld. Meine Schwestern waren bald weg, studierten – und ich blieb übrig. „Eine muss ja den Hof übernehmen", so fühlte ich oft, mein Weg schien mir schon fast vorgeschrieben, ohne dass ich darüber reden konnte, ohne dass ich mich damit auseinander setzte. Die Ausbildung machte mir Spaß, vor allem die Winterschule und die Bauernschule.

Nun lernte ich Gleichgesinnte kennen, konnte erstmals über meine Situation reden und schildern, wie ich mich fühlte. Bis dahin dachte ich ja oft, ich wäre die Einzige, die Druck empfand und nicht darüber reden konnte, nur ich hätte keine freie, unbeschwerte Zukunft vor mir. Doch nun erfuhr ich, wie gut es tat sich mitzuteilen und merkte, dass viele in ähnlichen Situationen waren, dass meine Freundinnen fast die gleiche Geschichte hatten. Ich musste jetzt nachholen, viel reden – meine Gedanken, Gefühle, Meinungen schienen sich erst zu bilden. Neben all dem Schaffen und Lernen waren sie bei mir wohl zu kurz gekommen. Meine Persönlichkeit, mein „Ich", erwachte zu dieser Zeit, und in Gesprächen wurden mir bisher ungedachte Wünsche bewusst, begann ich mich mit meinem Schicksal auseinander zu setzen.

Das Ergebnis war ein aufkeimender Wunsch nach Distanz zum elterlichen Hof, zu den Eltern und den Pflichten. Da meine Eltern spürten, dass ich weggehen wollte, verlief unsere Trennung ganz friedlich.

Ich suchte und bekam eine Stelle in der Schweiz; sie brachten mich dorthin und entließen mich, wie vorher meine Schwestern, in die „Freiheit". Ja, so fühlte ich damals, und es war ein tolles Gefühl.

Das Arbeiten machte mir keine Mühe, denn das war ich ja von zu Hause gewohnt und in Ausdauer geübt. Die Freizeit, die mir plötzlich zur Verfügung stand, füllte ich mit extrem vielen Aktivitäten aus: Ich reiste mit Fahrrad und Zug, wanderte viel, las, durchstöberte

Flohmärkte, ging aus, knüpfte Freundschaften, ging tanzen ...; es war meine wilde Zeit, in der ich keine anderen Grenzen spürte als die, die ich mir selbst setzte. Ich war nur mir selbst Rechenschaft schuldig und das genoss ich sehr. Ich war nicht die Tochter vom Bauern, was ich war, war ich aus mir heraus und dem, was ich tat. Diese Gefühle gaben mir Kraft, Mut und Selbstvertrauen.

Dann lernte ich meinen Mann kennen und er wusste und spürte wohl, wie er mit meinem Freiheitsbedarf umgehen musste, mit meinem Abnabeln vom Kindsein, meinem Erwachsenwerden.

Trotz alledem fühlte ich mich noch sehr mit der Landwirtschaft verbunden, beobachtete die Situation der Bauern vor Ort, baute schöne Kontakte zu einigen auf. Meine Eltern besuchte ich immer wieder und half auf dem Hof mit. Auch die alten Freunde besuchten mich fleißig, und wir schrieben uns gegenseitig viele Briefe.

Nach eineinhalb Jahren schloss ich mit einer großen Reise in die Ferne diese Zeit ab. Es folgte nach kurzem Heimspiel ein Alpsommer in der Schweiz und dann unsere Hochzeit.

Ja, und wie weiter nun? Wir wollten nicht in den Hof meiner Eltern einsteigen oder dort mitarbeiten – wir waren zu wenig bereit, unsere Träume fallen zu lassen, die vom „eigenen Job". Obschon wir den Wunsch bei meinen Eltern deutlich spürten.

In den nun folgenden Jahren arbeitete mein Mann als landwirtschaftlicher Betriebsleiter auf einem Schulbetrieb in der Schweiz, kamen unsere zwei Kinder zur Welt, entstand unsere Familie.

Zu den Hauptarbeitsspitzen (Heuet, Stroh) war ich jährlich im Schwabenland bei meinen Eltern im Einsatz, ansonsten bewerkstelligte ich bei uns in Haus und Garten alles, kümmerte mich dazu noch um meine berufliche Weiterbildung. Ich wurde in den Schulbetrieb meines Mannes einbezogen, bekam verschiedene „Jöbli", welche für Abwechslung sorgten.

Heimweh hatte ich nie und die Arbeit machte uns Freude. Doch dann, nach fünf oder sechs Jahren, kam wieder die Frage auf uns zu ..., die Frage wie schon Jahre vorher ..., die schwerwiegende Frage: „Macht Ihr weiter zu Hause, kommt Ihr zurück?"

Ich war ja damals schon eine erwachsene Frau und hatte dennoch Mühe, diese Entscheidung zu fällen. Zu deutlich spürte ich die Wünsche meiner Eltern, die sich gefreut hätten, wenn wir gekommen wären. „Sie haben mir ja viel Freiheit gewährt", überlegte ich, „und einen Bruch hat es nie gegeben." Sie würden Platz machen für uns und es wäre etwas Eigenes. Wir wären unabhängig von Arbeitgebern, und in den letzten dreißig Jahren war es der Landwirtschaft immer gut gegangen.

Da saßen wir nun und mussten unsere Position definieren, mussten herausfinden, welchen Weg wir gehen wollten. Es gefiel uns gut, wo wir waren, und der Arbeitsplatz schien sicher. Mein Mann arbeitete selbstständig, der Lohn war geregelt, ebenso der Urlaub. Es war gewiss viel Arbeit, doch er tat es gerne und fühlte sich bei den Bauern und im Dorf anerkannt – wir waren ja auch fremd in dieser Gegend. Auch ich hatte Anschluss gefunden, war engagiert in Verein und Kirche, führte eine gute Ehe, hatte gesunde Kinder und auch Freunde hier. Eigentlich mangelte es mir an nichts. Die Kinder hatten es nicht weit zum Kindergarten und zur Schule, die Wohnung war geräumig und schön, die Berge waren nah, die Umgebung gefiel uns. Wir hätten keinen Anlass zur Änderung gehabt, doch nun wurde eine Entscheidung (meine Eltern kamen ins Rentenalter) von uns verlangt.

Wir setzten uns oft abendelang zusammen, mein Mann und ich, und gingen Punkt für Punkt die Argumente für und gegen das Schwabenland durch. Vom Braunviehzüchter in der Schweiz zum Schweinebauer in Süddeutschland, vom sicheren Lohn zu unsicheren Schweinepreisen, eine andere Stellung als Bäuerin, die Familie so nah, der Schulweg so lang … Diesen und anderen Gründen sprachen jedoch immer ebenso viele Argumente entgegen. Da war die Selbstständigkeit, die winkte, und das eigene Handeln ohne Rechenschaft vor Dritten. Dazu kam auch noch zur gleichen Zeit die Unsicherheit, wer wohl als neuer Leiter an die Stelle unseres Chefs gewählt würde. Wie schnell könnte die Selbstständigkeit dann beschnitten sein.

Doch größeren Einfluss als wirtschaftliche und rationale Gründe hatten meine persönlichen Gefühle und Gedanken. Die Verantwortung gegenüber meinen Eltern war wie ein Druck spürbar. Wir waren nun mal die Einzigen, die für den Hof in Frage kamen: „Was werden sie tun, wenn wir nicht kommen? Wie wichtig sind mir meine Eltern?" Dieses Bewusstsein ließ mich nicht frei entscheiden, sondern lastete auf mir.

Zum Glück verstand auch mein Mann diese Gedanken, dieses „Sich-nicht-entscheiden-Können", das mich lähmte. Er kam mir entgegen – versuchte zu formulieren, was ich dachte und fühlte, hinterfragte viel und steckte letztlich seine Bedenken zurück, um mir die Möglichkeit einer gefühlsbetonten Entscheidung zu geben.

Wir zogen um. Wir wagten den Neuanfang in meiner alten Heimat.

Nun sind schon viele Jahre vergangen, wir fühlen uns wohl hier und sind glücklich. Noch hin und wieder denke ich zurück an die Freiheit und Unabhängigkeit, denke an die Berge, Wanderungen, Ausflüge. Doch ich bin mir darüber bewusst, dass ich solche Werte auch hier habe und sie momentan nur nicht sehen kann, da ich Arbeit und Anforderungen oft über mich herrschen lasse. Dann brauche ich „lichte Momente", um mich von Sehnsüchten frei zu machen.

Es ist schön, meine Familie um mich zu haben, auch meine Eltern, meine Geschwister, und ich spürte und spüre die Zufriedenheit um mich. Es hat sich für mich, für meine Seele, gelohnt, diesen Schritt zu machen, denn ich fühle mich gut. Meistens.

Oft fällt der Apfel weit vom Stamm.

Zuerst war ich wohl Apfelblüte, wurde Früchtchen und spürte den starken, festen Baum. Es gab Stürme und Sonne, Schatten und Freude – nichts davon möchte ich missen.

Der Apfel wuchs und meinte, er müsse unsäglich weit weg fallen. Aber wo ist weit?

Inzwischen will ich Baum werden, in „naher Entfernung" zu anderen Stämmen – ich genieße beides: Distanz und Geborgenheit.

Ich bin fester geworden, bodenständiger, will nun meinen Früchtchen – meinen Kindern – die Freude am Wachsen, am Leben zeigen und sie ihnen von ganzem Herzen gönnen.

Der Karton
mit dem Papierkram

„Am Montag nach der Hochzeit hat er
mir den Karton mit dem ‚Papierkram‘,
die Unterlagen für die Buchführung,
die Versicherungen und alles andere,
übergeben, und dafür bin ich nun
bereits seit achtzehn Jahren zuständig.“

Die Rollenverteilung war klar: Mein Vater war für den
Außenbetrieb, die Buchführung und die Bankgeschäfte zuständig,
meine Mutter für Haus und Kinder. – Meine Eltern bewirtschafteten
einen Gemischtbetrieb mit Kühen und Schweinen in einem kleinen
Hohenloher Weiler. Ich wuchs als ältestes von vier Geschwistern auf.
   Meine Mutter hielt Hühner und bebaute einen großen Bauerngar-
ten. Natürlich half sie bei der Stallarbeit und während der Ernte auch
auf dem Feld mit. Wir Kinder waren schon früh im Stall und auf dem
Feld mit dabei. Mein Bruder ist ein Jahr jünger als ich; er war von

Anfang an zum Hofnachfolger bestimmt und ist es inzwischen auch geworden. Zum Glück hatte er schon immer Freude an der Arbeit in der Landwirtschaft. Für meine Eltern wäre es sicher schwer zu verkraften gewesen, wenn der Hof nicht weitergeführt worden wäre.

Für mich hatten meine Eltern etwas Besseres vorgesehen. Sie rieten mir, einen ordentlichen Beruf zu lernen, damit ich es besser hätte als in der Landwirtschaft: kürzere Arbeitszeiten, mehr Lohn und mehr Urlaub. Deshalb waren sie nicht begeistert, als ich mit fünfzehn einen Freund fand, der Landwirt war, und ich mich entschloss, die Ausbildung zur ländlichen Hauswirtschafterin zu machen. Für meine Eltern war es eine Schande, dass ihre Tochter so jung einen Freund hatte, und sie versuchten unsere Freundschaft zu verbieten. Natürlich meinten sie es gut mit mir und wollten mich vor einer Enttäuschung bewahren. Sie hatten eine andere Vorstellung von meinem Lebensweg und es fiel ihnen sehr schwer, mich loszulassen. Meine Eltern schämten sich für mich: „Du bist noch nichts, hast nichts, kannst nichts und willst einen Freund haben." Dieser Vorwurf hat mir lange zu schaffen gemacht. Es fiel mir sehr schwer, meine Eltern zu enttäuschen. Ich konnte nicht verstehen, warum sie sich nicht freuten, dass ich mich verliebt hatte. Mir kam es vor, als wäre es ihnen wichtiger, was die Verwandten und Nachbarn sagten, als wie es mir ging und was ich wollte.

Als ich mit meiner Ausbildung fertig war, haben wir geheiratet. Ich war neunzehn und Ernst war fünfundzwanzig Jahre alt. Meine Eltern waren froh, dass nun alles seine Ordnung hatte. Allerdings waren sie auch ein wenig enttäuscht, dass ich jetzt wegging, wo ich endlich hätte mehr mithelfen können. Und sicherlich schwang auch die Angst mit, ob es gut geht, wenn man so früh heiratet.

Wir waren überglücklich. Endlich verheiratet! Ich dachte damals, jetzt geht das Leben richtig los. Jetzt haben wir die Möglichkeit, selber zu entscheiden, und können gemeinsam arbeiten. Und ich freute mich auf die Herausforderung, mit meinem Mann zusammen seinen Schweinezucht- und Ackerbaubetrieb zu führen. Mein Mann hatte den Betrieb bereits fünf Jahre von seinen Eltern gepachtet, da sie gesundheitliche Probleme hatten.

Am Montag nach der Hochzeit hat er mir den Karton mit dem „Papierkram", die Unterlagen für die Buchführung, die Versicherungen und alles andere, übergeben, und dafür bin ich nun bereits seit achtzehn Jahren zuständig. Meine Mutter und meine Schwiegermutter hatten nie genauen Einblick in die finanziellen Angelegenheiten und waren immer abhängig von ihren Ehemännern, abhängig davon, wie viel Geld sie von ihnen bekamen, auch heute noch bekommen. Bei uns ist das anders, ich habe genauen Einblick in alle Konten und bin verfügungsberechtigt wie mein Mann. Dadurch, dass ich die Buchführung mache, weiß ich genau, was im Betrieb läuft. Anstehende Entscheidungen fällen mein Mann und ich gemeinsam.

Kurz vor der Hochzeit haben wir uns ein Wohnzimmer und ein Schlafzimmer im Haus meiner Schwiegereltern eingerichtet. Aus purer Naivität dachten wir, dass es kein Problem sein würde, die Küche und das Bad gemeinsam mit den Eltern meines Mannes zu benutzen. Für meine Schwiegermutter war unser Wohnzimmer bereits ein unnötiger Luxus. Da meine Schwiegereltern nicht mehr ganz fit waren, war es für mich und meinen Mann selbstverständlich, dass ich nicht wegging zum Arbeiten, sondern vom ersten Tag nach der Hochzeit in Haushalt und Betrieb mitarbeitete. Außerdem wollten wir den Betrieb gemeinsam vorwärts bringen.

In der ersten Zeit versuchte ich mich in die Abläufe im Haushalt und im Außenbetrieb einzufinden und half dort mit, wo mein Mann oder meine Schwiegermutter es für sinnvoll hielten. Anfangs führte ich im Haushalt kaum Änderungen ein, obwohl ich einiges gerne fortschrittlicher gemacht hätte. Es verunsicherte mich sehr, dass plötzlich Dinge, die für mich selbstverständlich waren, wie zum Beispiel das Benutzen der Spülmaschine, die vorher zwar vorhanden, aber nicht eingesetzt worden war, und der Gebrauch des Handrührgerätes, von meiner Schwiegermutter nur als Energieverschwendung angesehen wurden. Außerdem zeigte sie mir mit einem mitleidigen Lächeln jedes Reiskorn, das noch am maschinengespülten Geschirr hing. Ich fühlte mich zu jung, hilflos und fremd, um der über Fünfzigjährigen, die schon fast dreißig Jahre diesen Haushalt führte, selbstsicher gegenüberzutreten und hatte nicht den Mut, mich durchzusetzen.

Bei der Mitarbeit im landwirtschaftlichen Betrieb gab es keine Probleme. Ein Jahr vor unserer Hochzeit hatte mein Mann mit einem neuen Betriebszweig, dem Anbau von Saatgut von einheimischen Wildpflanzen und Heilpflanzen, begonnen. Ich war von vornherein an allen Entscheidungen beteiligt. Es macht meinem Mann und mir überhaupt viel Freude, Neues auszuprobieren. Außerdem war es ein Arbeitsgebiet, bei dem ich nicht in Bereiche meiner Schwiegereltern einbrach. Beide unterstützten uns und halfen mit, so viel sie konnten, obwohl sie nicht unbedingt begeistert waren von unseren Veränderungen.

Bald nach der Hochzeit wurde unser Sohn Johannes geboren. Er machte uns und den Großeltern große Freude. Außerdem hatte ich jetzt etwas mehr das Gefühl, hier zu Hause zu sein. Meine Schwiegermutter passte auf das Kind auf, so dass wir trotzdem abends weggehen konnten und ich im Stall oder bei der Ernte auf dem Feld mithelfen konnte. Durch unsere Heirat und die Geburt von Johannes hatte sich in unserem Freundeskreis einiges geändert. Vorher waren wir viel mit Freunden aus der kirchlichen Jugendgruppe und mit der Landjugend unterwegs gewesen. Bereits kurz nach der Hochzeit merkten wir, dass wir als Verheiratete für viele abgeschrieben waren. Diese Erfahrung war schmerzlich. Aber es fanden sich auch neue Freunde, vor allem aus der Landjugend, die kein Problem damit hatten, dass wir eine Familie waren.

Als Johannes ein Jahr alt war, entschloss ich mich, die hauswirtschaftliche Fachschule zu besuchen. Dazu hatte mich mein Mann immer wieder ermutigt und mir versichert, dass er und seine Eltern sich um das Kind kümmern würden. Es fiel mir nicht leicht, Johannes daheim zu lassen und die Schulbank zu drücken. Für mich bedeutete es auch, dass ich mich weiterhin zu Hause ruhig verhielt und wenig Änderungen einforderte, da ich jetzt noch abhängiger von meiner Schwiegermutter war. Nach dem Abschluss der Fachschule war ich wieder schwanger und im Herbst wurde unsere Tochter Barbara geboren. Sechs Wochen vor dem errechneten Termin bekam ich plötzlich Bauchschmerzen, Schüttelfrost und hohes Fieber und hatte viel zu hohen Blutdruck. Sofort wurde ich ins Krankenhaus eingewiesen.

Die Ärzte machten verschiedene Untersuchungen und rätselten, was die Ursache sein könnte. Nach zwei Tagen sagten sie mir, dass sie jetzt das Kind per Kaiserschnitt holen wollten und danach ein Chirurg der inneren Medizin, falls nötig, weiteroperieren würde. Ich unterschrieb die Einverständniserklärung, mir war egal, was sie mit mir machten – Hauptsache, die Schmerzen hörten auf. Kurz vor der Operation traf mein Mann ein. Ihm wurde nach einer halben Stunde gesagt, dass er eine gesunde Tochter habe und es ihr den Umständen entsprechend gut gehe.

Bei mir stellte sich heraus, dass mein Blinddarm geplatzt war. Nach der Operation gab es Probleme mit einem Lungenflügel und so bekam ich erneut eine Narkose. Meinen Mann schickten sie nach Hause mit der Information, „ihre Tochter ist gesund, aber ob ihre Frau durchkommt, ist nicht sicher." Nach zwei Tagen Intensivstation war ich über den Berg. Wir waren froh und dankbar darüber und freuten uns über unsere kleine Barbara. Mir wurde erst hinterher bewusst, wie es um mich gestanden hatte. Dieses Erlebnis zeigte mir deutlich, wie schnell das Leben vorbei sein kann, und es bestärkte mich darin, mir in Zukunft weniger von anderen dreinreden zu lassen.

Im gleichen Jahr verletzte sich meine Schwiegermutter durch einen Sturz so schwer an der Hand, dass sie fast ein Jahr arbeitsunfähig war. Da ich nun mehr Arbeit und Verantwortung hatte, erledigte ich immer mehr Arbeiten so, wie ich es gelernt hatte und für richtig hielt. Dies und nicht zuletzt unterschiedliche Meinungen bei der Kindererziehung brachten immer größere Spannungen zwischen den Generationen mit sich. Es wurde meinem Mann und mir langsam klar, dass es so nicht weitergehen konnte, da alle unter dieser Situation litten. Wir entschlossen uns, ein eigenes Haus zu bauen und die Haushalte ganz zu trennen. Dies war mit Sicherheit der richtige Entschluss. Seit wir den nötigen Abstand haben, funktioniert das Zusammenleben auf unserem Hof viel besser. Meine Schwiegereltern sind heute auch froh, dass sie wieder so leben können, wie sie es wollen. Außerdem ist Ihnen der Trubel bei uns durch unsere mittlerweile drei Kinder, die Praktikanten, Saison-Arbeitskräfte und einen großen Freundeskreis viel zu groß.

Unser Sohn war sieben und unsere Tochter fünf Jahre alt, als ich mich entschloss, die Meisterprüfung zu machen. Wieder war es mein Mann, der mich unterstützte und der mich ermutigte, meinen Berufstraum wahr zu machen. Es war für mich ein hartes Jahr und es war nicht immer einfach, Betrieb, Haushalt, Familie und Lernen unter einen Hut zu bekommen. Aber es hat sich gelohnt. Sicher ist es sinnvoller und einfacher, diese Ausbildung vor der Familienphase zu machen, aber ich hatte den Vorteil, dass ich viele Vorgänge besser kannte und mehr Erfahrungen hatte, vor allem in der Buchführung und Betriebswirtschaft.

Unsere Kinder sind inzwischen siebzehn, fünfzehn und neun Jahre alt. Johannes lernt den Beruf des Staudengärtners. Wir sind froh, dass ihm die Arbeit Spaß macht und er Freunde gefunden hat. Ich war mit siebzehn ein Jahr in der Fremdlehre im Zabergäu. Als Hauswirtschaftslehrling hatte ich vollen Familienanschluss und für mich hat dieses Jahr viele neue Erfahrungen gebracht. Ich habe menschlich und beruflich viel gelernt. Johannes musste noch einen Schritt weiter gehen. Er hat eine kleine Wohnung für sich und wird alle drei Lehrjahre in Illertissen verbringen. Er kommt am Wochenende nach Hause, und da wird er schon sehnsüchtig von seinem kleinen Bruder erwartet. Johannes geht es heute genauso wie mir damals. Er wird von meinem Mann und mir am Samstag eingeplant für die Arbeit in der Landwirtschaft. Ich kann mich erinnern, dass ich manchmal ziemlich sauer war, wenn ich vom Lehrbetrieb heimkam und den ganzen Samstag helfen sollte und auch noch am Sonntag bei der Stallarbeit. Sonntags ausschlafen, das gab es für mich als Jugendliche nicht. Vor allem Barbara sagt immer wieder, dass andere Gleichaltrige nicht so viel mithelfen müssen. Aber ich denke, es ist wichtig, die Kinder schon früh dazu anzuhalten. Unsere Kinder wissen, dass sie nicht von vorne bis hinten bedient werden, sondern auch ihren Beitrag leisten müssen. Dadurch sind sie selbstständiger, und indem wir ihnen etwas zutrauen, spornen wir sie an. Wir erwarten außerdem von unseren Kindern Dinge, die vielen inzwischen altmodisch erscheinen. Zum Beispiel dass sie die Menschen, die ihnen begegnen, grüßen und uns Eltern respektieren und uns keine Schimpfworte entgegenschleudern. Die Auswahl ihrer Freunde beeinflussen wir nicht. Wir hoffen, dass wir unseren Vorsatz, ihnen bei der Partnerwahl zu vertrauen und uns rauszuhalten, einhalten werden.

Den landwirtschaftlichen Betrieb haben wir in den achtzehn Jahren, die wir nun verheiratet sind, stark verändert. Nachdem wir den Sonderkulturbereich stetig ausgeweitet hatten und merkten, dass uns dieser Betriebszweig am meisten liegt, haben wir die Schweinehaltung aufgegeben. Am Anfang produzierten wir das Wildblumensaatgut nur für den Großhandel. Inzwischen vermarkten wir es selbst mit einer befreundeten Landwirtsfamilie, die Wildgräser anbaut. 1994 haben wir zu viert eine Vermarktungs-GmbH für die Wildsaaten gegründet. Den Anstoß hierfür gab der Tod eines Landschaftsarchitekten, der auch Wildpflanzensaatgut gesammelt und vermarktet hatte. Seine Frau bat uns, den Saatgutbestand zu übernehmen und zu verkaufen. Das taten wir mit viel Euphorie und ziemlich blauäugig. Keiner von uns hatte geahnt, wie aufwändig das sein würde und wie viele Herausforderungen durch die Selbstvermarktung auf uns zukommen würden. Wir dachten, durch die Erfahrung aus der Führung der landwirtschaftlichen Betriebe und die Zusammenarbeit (jeder von uns vier hatte einen Anteil von 25 Prozent) würden wir das leicht schaffen. Auf jeden Fall war es eine gute Entscheidung, das Geschäft gemeinsam zu betreiben, da wir so die Arbeit je nach den Stärken der Einzelnen verteilen können. Außerdem können wir uns gegenseitig vertreten.

Von der Übernahme des Saatgutes und der Kundenkartei hatten wir uns mehr erhofft. Am Anfang dachten wir nicht, dass wir ganz bei null beginnen und uns erst einen Namen in der Branche machen müssten. Aber es war auch gut so. Auf diese Weise konnten wir unsere Firma Schritt für Schritt aufbauen und weiterentwickeln. Angefangen haben wir mit einem kleinen Büro und einem Lager im Keller unseres Hauses. Inzwischen sind das Samenlager, der Kühlraum und ein Sozialraum für unsere Mitarbeiter im ehemaligen Schweinestall untergebracht. Das Büro haben wir daran angebaut.

Zu Beginn war es der Anbau, inzwischen ist es die Vermarktung, die immer neue Herausforderungen an uns stellt. Für meinen Mann und mich bedeutet das, dass wir mehr Zeit im Büro und am Telefon verbringen. Im Haushalt, im landwirtschaftlichen Betrieb und in der Vermarktungs-GmbH sind inzwischen mehrere Mitarbeiter beschäftigt. Diese Entwicklung hätte ich mir vor zehn Jahren noch nicht vorstellen können. Früher haben wir Ferkel, Getreide und auch den Wildblumensamen nur abgeliefert und auf die Abrechnung gewartet. Heute müssen wir kalkulieren, wie wohl der Absatz sein wird, Angebote abgeben, die Lagerhaltung selbst übernehmen und nach Auftrag die Rechnung schreiben. Das verursacht hohe Kosten, birgt Risiken und erfordert viele Bürostunden zusätzlich. Die Arbeit im Büro ist ohne den Computer nicht mehr zu bewältigen. Es macht mir inzwischen Spaß, mit dem Computer zu arbeiten, und es bringt auch Erfolgserlebnisse, wenn alles funktioniert, aber wehe, es gibt PC-Probleme. Wenn der Computer streikt, geht im Büro fast nichts mehr. Seit vier Jahren hat unsere Firma eine E-Mail-Adresse und ist mit einer Internetseite im World-Wide-Web vertreten und seit zwei Jahren mit einem Internetshop. Das sind für uns wichtige Dinge, solange sie funktionieren, aber sie haben uns auch schon böse Überraschungen bereitet. Die Palette ist groß: Viren, hunderte von Spams (Massen-Mailings), zunehmend Werbung und E-Mails mit Zugang zu Internet-Sexseiten.

Meinen Ausgleich für die Büroarbeit finde ich in meinem großen Garten. Als Jugendliche habe ich mich über meine Mutter und später über meine Schwiegermutter gewundert und gedacht: „Nie würde ich den ganzen Feierabend im Garten arbeiten." Und heute findet man mich ebenfalls bis spätabends zwischen dem Gemüse und den Blumen. Aber im Gegensatz zu meinen Eltern und Schwiegereltern geht unsere ganze Familie auch in den Garten und auf die Terrasse, um zu essen und zu faulenzen und nicht nur zum Arbeiten.

Ein interessanter Aspekt der Selbstvermarktung sind für uns die speziellen Projekte, bei denen Wildpflanzensaatgut verwendet werden soll. Es kommen Anfragen zum Beispiel von Architekten, Ämtern, Gartenschauen. Oft wird eine Vorortberatung angefragt. Diese Arbeit übernimmt mein Mann, deshalb ist er immer häufiger unterwegs. Ein weiterer Bereich ist die Werbung. Um Kunden zu werben, müssen wir Anzeigen schalten, auf Messen gehen und auf Fachtagungen präsent sein. Jährlich veranstalten wir einen Tag der offenen Tür für

Fachpublikum und machen Führungen durch die blühenden Felder. Dadurch haben wir sehr viele Menschen kennen gelernt. Die Besucher hinterfragen, was wir machen, und wir erhalten neue Ideen, Denkanstöße und Informationen.

Es gibt immer viel zu tun im landwirtschaftlichen Betrieb, der Firma und im Haushalt. Fertig werden wir nie. Aber wir machen es möglich, jedes Jahr einige Tage zu verreisen. Anfang Januar fahren wir mit unseren Kindern und einigen befreundeten Familien in den Skiurlaub. Es tut gut, etwas gemeinsam zu unternehmen und einige Tage alle betrieblichen Angelegenheiten ruhen zu lassen. Nicht nur das Skifahren macht allen Freude, sondern auch das gemütliche Zusammensitzen und Spielen am Abend. Meinen Schwiegereltern fällt es schwer, uns in Urlaub fahren zu lassen. Sie sind nie in ihrem Leben länger als einen Tag weg gewesen und verstehen nicht, dass wir Haus und Hof alleine lassen.

Abends gehe ich gerne in Konzerte, zu Vorträgen und Veranstaltungen der örtlichen Vereine. Da mein Zuhause gleichzeitig mein Arbeitsplatz ist, ist es mir wichtig, auch etwas anderes zu sehen und zu hören.

Ich bin überzeugt, dass es wenige Berufe außerhalb der Landwirtschaft gibt, die es zulassen, Beruf und Familie, Erwerbstätigkeit der Frau und Zusammenarbeit der Ehepartner möglich zu machen. Für mich ist es am schönsten, dass ich mit meinem Mann gemeinsam arbeiten und zum Betriebseinkommen beitragen kann. Es ist mir außerdem wichtig, dass unsere Kinder immer wissen, was wir tun und wie wir erreichbar sind, auch wenn wir nicht immer Zeit für sie haben.

Heimat ist das kleine Eckchen am Niederrhein

„Jeder Kontakt mit der alten Heimat, sei es durch Briefe, Telefonate oder Besuche, weckt Erinnerungen an meine Kindheit und Jugend auf dem Hof am Niederrhein.“

Ja, ich bin eine Bauerntochter; ja, ich bin immer noch der Landwirtschaft treu. Obwohl ich mehrmals die Möglichkeit hatte, mein Leben in eine ganz andere Richtung zu lenken, bin ich immer wieder in der Landwirtschaft gelandet. Bis heute weiß ich nicht, ob das ganz bewusste Entscheidungen waren oder ob ich den einfachsten Weg gegangen bin.

Ich erinnere mich noch ganz genau, dass für mich, als ich noch meine „Teenjeans“ trug, feststand, dass ich entweder zu Hause bleiben oder ganz weit weg ziehen würde. Heute lebe ich in Kalifornien, habe eine wunderbare Familie, betreibe Landwirtschaft (Walnüsse und Biogemüse); ich habe Anschluss gefunden und Freundschaften geknüpft.

Aber Heimat ist für mich nur das kleine Eckchen am Niederrhein. Meine Mutter und meine Geschwister besuchen mich regelmäßig. Und die alten Freundschaften und Bekanntschaften sind, trotz großer Entfernung, noch nach über zehn Jahren intakt. Jeder Kontakt mit der alten Heimat, sei es durch Briefe, Telefonate oder Besuche, weckt Erinnerungen an meine Kindheit und Jugend auf dem Hof am Niederrhein.

Ich bin die dritte Tochter der Familie und nach mir wurde noch mein um zwei Jahre jüngerer Bruder geboren, der lang ersehnte Sohn, der Stammhalter und Hofnachfolger.

Meine Oma war immer im Haus. Sie bereitete mir und meinen drei Geschwistern das Frühstück, sie kochte das Mittagessen, sie half uns bei den Hausaufgaben und scheuchte uns aus dem Haus, wenn wir drinnen zu wild tobten. Unsere Mutter war nie im Haus, sie war immer im Stall oder auf dem Feld, aber sie war immer da, nur nicht ganz so nah. Als ich neun Jahre alt war, starb mein Vater, und meine Erinnerungen an ihn sind zum größten Teil Bilder und die dazugehörigen Geschichten. Meine zwei älteren Schwestern haben unseren Vater viel besser gekannt. Sie waren schon fast mit dem Gymnasium fertig, als er starb.

Mein Vater war ein sehr freundlicher, gemütlicher, gutmütiger Mann. Meine Mutter hatte den Hof von ihrer Mutter geerbt und mein Vater hatte keine andere Wahl, als Landwirt zu werden. Er kam aus einer Stadt im Ruhrgebiet, aber er war bei uns im Dorf sehr beliebt, er war sehr hilfsbereit.

Nach dem Tod meines Vaters haben sich alle Nachbarn und Verwandten um uns gekümmert. Mutter und Onkel haben den Hof weitergeführt, und wir Kinder haben mitgeholfen, wo wir konnten. Ich habe nie das Gefühl gehabt, dass mir das befohlen wurde, und ich glaube, dass ich auch für meine Geschwister sprechen kann. Wir haben mitgeholfen, weil wir das richtig fanden.

Eine meiner Schwestern hat nie Kühe gemolken; noch heute hat sie Angst davor. Zum Glück hat ihr Freund das Melken erledigt, während sie die Logistik übernahm. Ich habe immer Heu vom Speicher und Rüben in den Rübenschneider geworfen, unser Bruder hat die

Schweine gefüttert. Unsere älteste Schwester hat schon früh geheiratet und ist ins Nachbardorf gezogen.

Durch den geringen Altersunterschied hatten mein Bruder und ich denselben Freundeskreis. Wir haben mit den Nachbarskindern immer Bauernhof gespielt. Die Puppen, die mein Opa mir zum Geburtstag aus der Stadt brachte, lagen meist nackt und ungekämmt in der Ecke.

Unser Haus war Treffpunkt. Die Kumpels meines Vaters kamen zu jeder Tageszeit und waren auch immer willkommen; meine Schwestern brachten ihre Freundinnen und Freunde mit. Wenn Feten und Partys gefeiert wurden, dann bei uns. Im Sommer auf der Tenne, da die Kühe draußen waren, im Winter im Wohnzimmer. Freitags war immer Treff, bis die Stube voll war; manchmal kamen zwanzig Leute. Dann diskutierten wir, wie wir den Freitagabend, die Freitagnacht verbringen wollten. Wenn Mutter sich schlafen legte, gingen wir aus. Das war okay für sie, denn sie wusste ja, wo wir hingingen und mit wem.

Nachdem ich die zehnte Klasse der Hauptschule beendet hatte, begann ich eine landwirtschaftliche Lehre. Meine Lehrstelle war mein Zuhause, meine Mutter meine Ausbilderin. Da sie keine Meisterausbildung hatte, musste sie an einem pädagogischen Sem inar teilnehmen, damit meine Ausbildung anerkannt wurde. Mutter war eine ehrgeizige Lehrerin. Wir wollten es den Männern zeigen. Mein Onkel, der zu Lebzeiten meines Vaters schon sein bester Freund und Partner war, hat nach seinem Tod sämtliche Feldarbeit für meine Mutter übernommen. Am Anfang war sie sehr dankbar, aber im Laufe der Jahre stellte sich heraus, dass sie ein wenig ihr Mitspracherecht verloren hatte. Mit Beginn meiner Ausbildung hatten Mutter und ich ein „Zurückeroberungsgefühl". Da mein Onkel ja die Feldarbeit übernommen hatte, und dies auch Teil meiner Ausbildung war, musste er mir das Pflügen, Säen, Mistfahren beibringen. Es war nicht so einfach für ihn, einem weiblichen Wesen diese Männerarbeiten beizubringen. Und er hat es mir nicht leicht gemacht.

Zu Weihnachten mussten die Felder gepflügt sein, nur ein Acker war noch nicht fertig, da es zu nass war. Am Tag vor Heiligabend entschied Onkel, dass es trocken genug sei und ich jetzt fertig pflügen könne. Natürlich war das Feld noch nass und ich habe mich so sehr festgefahren, dass mein Onkel, seine zwei Söhne und noch ein anderer Bauer aus dem Dorf mit zusammen drei Traktoren kommen mussten, um meine Maschine aus dem Matsch zu ziehen. Wir mussten den Pflug abkoppeln, den Traktor mit drei anderen Traktoren aus dem Schlamm hieven und den Pflug mit zwei Frontladern herausheben. Natürlich war ich die Übeltäterin und hatte alles falsch gemacht. Ich war so sauer, dass ich wochenlang nicht mit meinem Onkel gesprochen habe.

Eine meiner ersten Aufgaben war die Aussaat der Zwischenfrucht im August (ich glaube, es waren Stoppelrüben). Mein Onkel hatte die Saatbettvorbereitung übernommen und ich brauchte nur noch die Sämaschine abzudrehen und zu säen. Mein Onkel erklärte mir die Abdrehformel genau und alles lief gut. Als ich mit dem Säen fertig war, hatte ich auch genau den kalkulierten Rest Saatgut in der Maschine. Da ich sie geleert und sauber zurückbringen sollte, musste das restliche Saatgut irgendwie herausgeholt werden. Mutter und ich hatten keine Ahnung, wie man so etwas macht. Daher fingen wir an, das Saatgut mit Esslöffeln aus der Maschine zu löffeln. Wir wussten zwar, dass das nicht richtig war, aber uns fiel keine bessere Lösung ein. Zu unserer Rettung kam mein Schwager, der uns die Bodenklappe zeigte, nach deren Öffnen der Rest Saatgut einfach herausrieselte. Zum Glück hat mein Onkel nie von unserer Unbeholfenheit erfahren.

Nur ein einziges Mal hat er mich für meine Arbeit gelobt. Das war bei der Saatbettvorbereitung für die Futterrüben. Nachdem ich fertig war mit Grubbern und Eggen, kam er zum Feld gefahren und stapfte nach rechts und nach links, ging hin und her, als ob er mir unbedingt etwas Falsches nachweisen wollte. Dann kam er zum Traktor und sagte mir, dass ich es gut gemacht hätte. Ich glaube, nachdem ich meine Gesellenprüfung gut bestanden hatte, war er sogar ein wenig stolz auf mich. Aber gezeigt hat er es nie.

Da ich die ganze Lehrzeit auf dem eigenen Hof verbrachte, war ich am Ende dieser Zeit sehr tief mit meinem Zuhause verbunden. Ich war Tag und Nacht da, konnte an allen Feierlichkeiten im Dorf und in der Familie teilnehmen, ob Schützenfest oder die Geburtstage von Jung und Alt. Ich hatte sehr enge Kontakte zu allen Dorfbewohnern.

Allerdings habe ich auch einiges verpasst. Während viele meiner Freunde Wasserski fuhren, mussten wir Heu und Stroh einfahren.

Von dem Tag an, als mein Bruder geboren wurde, war es klar, dass er einmal der Bauer sein wird. Je mehr Zeit verstrich, umso betrogener fühlte ich mich, da ich ja schon in den Jahren gearbeitet hatte, in denen er noch zu jung war. Ich fühlte, dass auch ich Anspruch auf diesen Posten hatte. Erst hoffte ich, dass er einen anderen Beruf wählen würde, dann hoffte ich, dass er mir eine Partnerschaft anbieten würde. Als ich mein Studium an der Fachhochschule in Bad Kreuznach angetreten hatte, um Diplomagraringenieur zu werden, begann mein Bruder eine landwirtschaftliche Lehre auf einem Aussiedlerhof etwa 30 Kilometer vom elterlichen Hof entfernt. Er konnte nicht jedes Wochenende nach Hause kommen, so bin ich dann wieder wöchentlich die 275 Kilometer nach Hause gefahren, um meiner Mutter zu helfen. Ich war auch gerne zu Hause; wenn ich es nicht war, hatte ich Heimweh. Es fiel mir sogar schwer, bei einer Freundin zu übernachten, auch wenn sie nur im Nachbarort wohnte.

Wenn ich von Bad Kreuznach nach Hause kam, bin ich immer erst alle Felder abgefahren. Man musste ja wissen, was sich ereignet hatte, wenn man zur Tür hereinkam. Während des Studiums lernte ich Leute kennen, die ein oder mehrere Semester aussetzten, um Auslandsseminare zu machen. Das fand ich eine tolle Idee, nur ergab sich für mich die Möglichkeit erst nach dem Studium.

So bin ich in Kalifornien gelandet, habe hier vier Monate auf einer Farm gearbeitet und dabei Tom kennen gelernt. Tom hatte sein Land zum Teil verpachtet, denn er war anderweitig in der Landwirtschaft beschäftigt. Doch er war durchaus daran interessiert, eine eigene Farm zu betreiben.

Zugegeben, wenn Tom in der Stadt gelebt hätte, wäre ich bestimmt nicht geblieben. Aber er wollte gerne seine alte Ranch wieder in Gang bringen, wusste aber nicht wie, und ich hatte mein Paradies gefunden. Uns standen alle Türen in der Landwirtschaft offen. Zunächst lebten wir von unserem Ersparten und kleinen Jobs und kauften uns eine kleine Mutterkuhherde. In den letzten Jahren hat sich die Ranch zu einem selbsttragenden landwirtschaftlichen Betrieb entwickelt. Und sie ist jetzt mein Zuhause und das meiner Kinder, meiner Familie. Dazu kommt, dass meine deutsche Heimat nicht mehr dieselbe ist. Unter unserem Land wird nun Kohle abgebaut, was gravierende landschaftliche Veränderungen zur Folge hatte: Deicherhöhung, Feuchtgebiete, Landschaftsschutz; sogar Teile unserer Stallungen wurden abgerissen. Während die Menschen, die dort leben, die Veränderung als alltägliches Geschehen hinnehmen, finde ich bei jedem Besuch in Deutschland ein Stück Zerstörung meiner Heimat vor, einen Verfall meines kleinen Eckchens am Niederrhein.

Von wegen Flitterwochen!

*„Die Kühe warteten am nächsten
Morgen schon, um gemolken zu werden.
Ich durfte ausnahmsweise ausschlafen."*

Ich wurde auf einem Bauernhof in einem kleinen idyllischen Dorf im Schwabenland geboren. Zusammen mit meinen Eltern, zwei Geschwistern und auch dem Großvater wohnte ich in einem großen, einfachen Bauernhaus. Im Haus war es im Winter ziemlich kalt. Nur die gute Stube wurde kräftig geheizt. Hinter dem Hof waren ein riesengroßer Gemüsegarten und viele verschiedene Obstbäume. Davon konnten wir das ganze Jahr über essen und die Früchte genießen. In den Ställen lebten Kälber, Rinder, Kühe, Ferkel, Mastschweine und Zuchtsauen, ebenso Hühner, Katzen und ein Hund. Er hatte seine Hütte beim Hauseingang. Die Haustür blieb meist Tag und Nacht unverschlossen. Dafür waren manche Schränke und Zimmer verriegelt. Aber normalerweise kam kein Fremder ins Haus, ohne dass der Hund bellte. Die beste Alarmanlage, die es gab.

Jeder, der auf einem Bauernhof lebte, wurde, sobald er konnte, mit eingespannt. Wer nicht mitarbeiten konnte, war trotzdem fast immer mit dabei. Es wurde viel geredet und oft ging es gemütlich zu. Aber man musste auch bei Wind und Wetter, großer Hitze und eisiger Kälte draußen arbeiten. Helfen mussten wir beim Holzkleinhacken, beim Schuheputzen, wir holten die Eier bei den Hühnern, hackten Rüben, wir fassten bei der Ernte und der Gartenarbeit mit an, halfen das Obst aufzulesen und einzumachen. Außerdem war es unsere Aufgabe, das Grab der Oma zu gießen. Wir Kinder fühlten uns oft zu sehr eingespannt. Den Nachbarskindern erging es ebenso. Wenn wir mal alle zusammenkamen, dann meist, um im Heu oder Stroh zu toben und zu spielen. In den Scheunen bauten wir Burgen und Indianercamps, spielten Verstecken, Ochs am Berg, Schule, Bauernhof, Räuber und Gendarm. Wir bauten Schaukeln und Seilbrücken und – wir übten, wer am weitesten pinkeln konnte. Fußball und Völkerball waren die beliebtesten Ballspiele. Sogar eine Ski- und Schlittenpiste gab es im Winter hinterm Haus. Mutter hatte immer Angst, dass mir etwas passieren könnte. Ich sollte als Mädchen besser mit Puppen spielen und bei der Hausarbeit helfen. Viel lieber wollte ich aber mit den Buben draußen toben. So manches Kleidungsstück wurde dabei zerrissen.

Meine Eltern legten viel Wert auf Ehrlichkeit und Gehorsam. Ihre Einstellung war traditionell und konservativ. Manchmal gab es auch Schläge auf den Hintern. Auf dem Kachelofen lag versteckt sogar ein Lederstock, der Farrenschwanz. Vor ihm hatte ich Respekt. Das tat ziemlich weh. Zum Glück wurde er selten benutzt. Als ich etwas älter war, ließ ich ihn auf einem Fenstersims hinterm Haus verschwinden. Viele Wochen später fand ihn meine Mutter, vom Wetter aufgeweicht und kaputt. Er hatte ausgedient. Sie entsorgte ihn im Feuer.

Je älter ich wurde, umso mehr Arbeitsaufträge bekam ich. Traf ich mich mit den Kindern zum Spielen, musste ich schon bald wieder nach Hause und helfen. Nicht alle meine Schulfreundinnen mussten so viel mit anpacken, weil ihre Eltern einen anderen Beruf hatten oder die Landwirtschaft sehr klein war. Im Sommer gingen sie oft ins Schwimmbad. Bei mir hieß es dann immer, du kannst nicht schwimmen und ersäufst noch. Ich kann bis heute nicht schwimmen. Oft fühlte ich mich einsam und allein. Die älteren Buben wollten mich als Mädchen auch nicht immer dabei haben. Meine Eltern waren ohne Freizeit aufgewachsen und gaben das an ihre Kinder weiter.

Die ersten Familien fuhren damals schon in Urlaub, wenn auch meist zu den Großeltern. Andere machten sonntags Ausflüge und besichtigten Sehenswürdigkeiten. Wir besuchten höchstens mal Verwandte. Da die ganze Verwandtschaft fast ausschließlich aus Bauern bestand, wurden dann am Nachmittag Ställe besichtigt und über irgendwelche, für uns Kinder häufig unverständliche Probleme der Betriebe diskutiert. Aber meistens waren wir sonntags zu Hause, und die Eltern ruhten sich auf dem Sofa aus.

Von Akademikern hielt man nicht sehr viel. Die sollten erst alle mal was arbeiten. Aber dennoch zählte ein guter Charakter. Allgemeinbildung und Bücher waren für meine Eltern nicht so wichtig. Trotzdem hatte ich in der Schule keine Probleme, ich lernte leicht und brachte gute Noten mit nach Hause. Der Lehrer schaute öfters mal bei den Schülern zu Hause vorbei und unterhielt sich mit den Eltern. Hatte man gerade geschlachtet, freute er sich natürlich über eine Metzgersuppe. Das ist frisches Kesselfleisch mit Brühe und Blut- und Leberwurst.

Trotz allem gefiel mir das Leben auf dem Bauernhof. Vieles hatte ich schon gelernt, was andere Kinder in dem Alter noch nicht konnten. Früh konnte ich schon den Schlepper fahren und mit Maschinen umgehen. Das machte ich besonders gerne. All meine Freundinnen konnten da nicht mithalten. Über Tiere und Pflanzen wusste ich schon früh Bescheid, denn ich konnte ja bei den Erwachsenen mithören und hatte auch praktisches Geschick. Besonders schön war es immer, wenn Tiere geboren wurden und ich Geburtshilfe leisten konnte. Und es ist herrlich, Pflanzen und Früchte heranwachsen und reifen zu sehen. Obwohl man auch weiß, dass nicht alles in der Macht des Bauern liegt, sondern Gott das Gedeihen geben muss. Was würden wir ohne Wind machen, der Getreide und Blüten bestäubt und trocknen lässt? Oder ohne Sonne, die Wärme, Licht und Hitze spendet, oder gar ohne Regen? – Das Bauernleben ist sehr abwechslungsreich. Man kann sich vieles selbst einteilen, eigene Ideen entfalten und die Natur erleben. Durch die ganze Verantwortung, die man als selbstständiger Unternehmer trägt, auch der Natur gegenüber, bekommt der Mensch selbst auch eine gewisse Reifung. Aus Freude an dieser Vielfalt wollte ich Bäuerin werden.

Von den meisten anderen Mädchen wurde ich natürlich belächelt. Aber sie verstanden ja nicht viel davon. Selbst mein großer Bruder riet mir davon ab. Er sah schon etwas weiter. Ich solle lieber ins Büro gehen. Heute denke ich manchmal darüber nach. Wenn ich sehe, wie viel Urlaub einem als Angestellter zusteht, und ist man krank, kann man sich ins Bett legen. Das geht vor allem in der heutigen Zeit auf einem Bauernhof fast nicht mehr, weil keine Arbeitskräfte da sind, die sich überall auskennen. Selbst wenn die Kinder krank sind, haben die Eltern, die angestellt sind, Anspruch auf Urlaub. Auf einem Bauernhof müssen die Tiere zweimal täglich versorgt werden und sind die Früchte reif zum Ernten, verderben sie, wenn das nicht gleich erledigt wird. Dennoch hätte ich am liebsten den Männerberuf Landwirt erlernt. Draußen fühlte ich mich einfach am wohlsten und frei wie ein Vogel. Das konnte niemand verstehen. Alle redeten auf mich ein, dass das nichts für eine Frau sei, und überzeugten mich schließlich von einer Ausbildung zur Hauswirtschafterin.

Da mein Bruder als Hoferbe vorgesehen war, musste ich ja irgendwann „wegheiraten". Um meiner Rolle als Frau gerecht zu werden, sollte ich in erster Linie Kochen, Putzen und Waschen lernen. Wie eintönig, dachte ich zunächst. Im Lauf der Zeit sah ich jedoch ein, dass dieser Beruf der Grundstein für die Tätigkeit als Bäuerin sein musste. Deshalb entschied ich mich dafür. Die meisten Mädchen lernten natürlich Berufe im Büro oder gingen noch weiter zur Schule. Von vielen wurde ich belächelt, als ich zu Hause bei meiner Mutter eine Lehre begann, wie es damals üblich war. Die pubertierende Tochter als Lehrmädchen war nicht immer das Gelbe vom Ei. Mit meiner Mutter und Lehrherrin verstand ich mich meist schlecht. Vielen Berufskolleginnen erging es ebenso. Erstens hatte Mutter keine Meisterausbildung, zweitens wollte ich mich ihr nicht unterordnen, sondern selbst Erfahrungen sammeln, und drittens lernten wir in der Berufsschule vieles ganz anders, als Mutter es machte und gelernt hatte. Darüber waren wir beide oft ziemlich verzweifelt. Mein zweites

Lehrjahr verbrachte ich dann auf einem Lehrbetrieb in der Fremde. Anfangs war das hart. Als Teenie allein in der Fremde, das hieß: unbekannte Umgebung, kein Auto, noch nicht mal eine Busverbindung, fremde Menschen, eine ganz andere, eigenartige Familie. Langsam gewöhnte ich mich daran. Von morgens bis abends arbeitete ich. Viel Freizeit hatte ich nicht. Doch ich lernte das Neue schätzen und wollte das Beste daraus machen. Meine erste Aufgabe werde ich nie vergessen. Die Maissämaschine hatte wegen eines verstopften Drillrohres eine Reihe nicht gesät. Dort musste ich den Samen von Hand nachstupfen. Das Letzte, dachte ich. Zu Hause hätte ich darüber geschimpft. Durch meine schüchterne, anständige Art wurde ich sehr schnell in der fremden Familie beliebt und meine Chefin schätzte meine Ausdauer.

Eine Abwechslung hatte ich dennoch. Sonntags wurde ich ab und zu von meinem Freund besucht. Das sahen meine Eltern nicht gerne. Sie hatten etwas gegen eine so frühe feste Freundschaft mit einem Mann, der schon etwas älter war als ich. Das konnten natürlich wir wiederum nicht verstehen. Früher war das ja auch anders. Da wurde der Partner womöglich noch von den Eltern ausgesucht. Aber für uns zählte unsere Liebe. Schnell ging die Lehrzeit vorüber. Die Fremde hatte mich positiv geprägt und reifer gemacht. Einiges hatte ich gelernt. Nun folgte die Winterschule. Das war meine schönste Zeit im Leben. Trotz viel fachlichem Lernen ging es sehr gesellig zu. Ich wohnte wieder zu Hause und konnte viel vom Erlernten umsetzen. Mit meinem Freund war ich immer noch unterwegs. Meine Eltern fanden sich langsam damit ab. Vielleicht waren sie manchmal sogar froh darüber. Denn meine ehemaligen Freundinnen waren mit ihren Cliquen oftmals in den Gaststätten unterwegs. Ich sollte mich lieber an kirchlichen Kreisen orientieren, was ich auch zum Teil tat. Morgens früh aufstehen zur Stallarbeit und abends heimkommen zur Stallarbeit, bewahrte mich vielleicht auch vor manchem Unfug. Wenn die ehemaligen Dorffreundinnen auch mit Stolz auf mich herabblickten, tat mir dies weh. Trotzdem wusste ich, dass ich auch einiges konnte und reifer war als sie.

Ein Leben als Bäuerin konnte ich mir immer besser vorstellen. Die Ausbildung zur Bäuerin war doch nicht fehl am Platz gewesen. Sehr viel hatte ich gelernt, was den Alltag erleichterte und erfolgreicher machte. Erst jetzt merkte ich, wie abwechslungsreich und interessant dieser Beruf sein kann. Große Freude fand ich auch am Kochen und Backen. Unsere Familie war oft und gerne Versuchskaninchen. Sie liebte abwechslungsreiches Essen. So langsam nahte der Gedanke, meinen Freund zu heiraten. Wir verstanden uns sehr gut, gingen jede Woche gemeinsam aus und waren überzeugt, dass wir uns gut ergänzen könnten und gut zusammenpassen würden. Er war selbst gelernter Landwirt. Also passte meine Ausbildung gut dazu. Mein Freund hatte seinen Bauernhof auf vierzig Milchkühe spezialisiert und wollte ein „Landwirt der Zukunft" sein. Während unserer Ausbildung hatten wir ja gelernt: Wachsen oder Weichen.

Die Hochzeit wurde ausgemacht, Zimmer renoviert und für uns junges Paar eine Wohnung hergerichtet. Möbel und Aussteuer, wie es früher üblich war, wurden von meinen Eltern angeschafft. Sie legten Wert darauf. Der Hochzeitstag nahte und wir hatten ein Marathonprogramm. Morgens um fünf Uhr aufstehen, Kühe melken, füttern und misten. Die Schwiegereltern halfen natürlich dabei. Anschließend schnelles Frühstück, Friseur und Fotograf, standesamtliche Trauung, Gästeempfang und um halb zwölf kirchliche Trauung. Nun kam der gemütlichere Teil: ein reichhaltiges Mittagessen, später Kaffeetrinken mit selbst gebackenen Kuchen. Das Brautpaar wurde abends von der Stallarbeit verschont. Die Schwiegereltern und ein Betriebshelfer übernahmen ausnahmsweise diese Arbeit. Dann reichhaltiges Abendessen und gemütliches Beisammensein mit Musik und Tanz bis spät in die Nacht. Von wegen Flitterwochen! Die Kühe warteten am nächsten Morgen schon, um gemolken zu werden. Ich durfte ausnahmsweise ausschlafen. Trotz Müdigkeit nahm der Alltag wieder seinen geregelten Ablauf.

Überglücklich zog ich ins neue Heim. Was mich wirklich erwartete, war mir damals nicht so ganz bewusst. Über die Heirat waren die Schwiegereltern froh, sie waren ja auch nicht mehr die Gesündesten, und der Betrieb hatte Zukunft. Ich dachte, ich könnte mit meinem Mann freie Entscheidungen treffen, einkaufen gehen, gut zusammenarbeiten und meine Kochkünste entfalten. Doch die Schwiegereltern waren besorgt – sie meinten es ja nur gut. Überall wollten sie mitreden und mischten sich ein. Der Hof könnte ja Schaden nehmen, und es ist auch nicht ganz einfach, auf einmal jemand anderen bestimmen zu lassen. Getrennte Küchen gab es einfach nicht, und es wäre viel zu teuer gewesen, wenn die Jungen allein gelebt hätten. Sogar am Heizen wurde gespart. War die Küche warm, reichte es ja aus. Die Schwiegermutter meinte, wenn man verheiratet ist, geht man nicht mehr so viel aus. Die Essgewohnheiten waren zum Teil auch ganz anders, als ich sie kannte. Immer war die Sorge da, dass der Sohn auch keinen Schaden nimmt. Nach und nach wurden Kinder geboren.

Für mich war es oft schwierig, alles unter einen Hut zu bekommen. Jedem sollte ich es recht machen. Dem Mann, den Schwiegereltern, und die Kinder sollten auch nicht zu kurz kommen. Und ich? Manchmal dachte ich, nach mir fragt keiner. Sehr viel Arbeit war in Haus und Hof zu bewältigen. Die Arbeit war es weniger, die mir Probleme bereitete, das hatte ich ja gründlich gelernt. Aber es sollte nach Möglichkeit keine Veränderungen geben, man hatte es ja immer schon so gemacht. Wir mussten einfach rationeller arbeiten, weil der Betrieb spezialisiert wurde und die Familie sich durch die Geburt der Kinder auch wesentlich vergrößert hatte. Vieles hatte ich ganz anders gelernt als die ältere Generation. Meine Schwiegermutter wünschte sich unsere Zusammenarbeit so, wie sie es schon von ihrer Mutter kannte. Sie hatte nie eine Tochter gehabt, die ihr widersprach. All diese Probleme konnte und wollte mein Mann einige Jahre nicht verstehen. Er war das Leben ja so gewohnt. Ich dagegen kam aus einer ganz anderen Familie. Wir lebten nach anderen Werten, unsere Familienstruktur war anders, der Betrieb auch, und ich hatte eigene Gedanken, die ich natürlich auch umsetzen wollte.

Ich wünschte mir ein Hobby, Urlaub und Unternehmungen mit den Kindern. Aber all dies fand man überflüssig. Beobachte ich heute verschiedene Betriebe, so fällt mir auf, dass die Bauern von Schweinebetrieben sich oftmals leichter die Freizeit nehmen können, um mal über den Zaun zu schauen. Sie müssen die Stallzeiten nicht ganz so pünktlich einhalten wie die Milchviehbetriebe. Der Zukunftsgedanke zermürbt viele Landwirte und Familien. Was zu meiner Lehrzeit noch als Zukunftsbetrieb galt, ist es heute schon lange nicht mehr. Auch das Argument vom Wachsen oder Weichen hat sich nach Jahrzehnten noch nicht bestätigt, im Gegenteil. Uns wurde erzählt, ihr müsst vergrößern, mehr und rentabler arbeiten, dann geht es euch besser und ihr könnt weltweit mithalten. Ihr verdient mehr, könnt euch mehr Freizeit leisten, eure Bauernhöfe sind Zukunftsbetriebe. Das haben wir und viele andere gemacht. Und eingetroffen ist: Wir verdienen nicht mehr im Vergleich zu anderen Berufssparten, im Gegenteil, betrachtet man vor allem unseren Stundenaufwand. Die Arbeit wird trotz Rationalisierung immer mehr. Sogar Büroarbeit nimmt ständig zu, wegen neuer Vorschriften, Gesetzesänderungen, Staatsauflagen und totaler Kontrolle. Das raubt den Landwirten oft noch ihre wenige Freizeit. Betriebe wurden und werden aus Zwang oft hoch technisiert, so dass die Bauersleute auf ihrem Hof fast unersetzlich geworden sind. Wehe, man verunglückt oder erkrankt ernsthaft. Funktionieren sollen wir wie die Roboter. Wir sollen immer nur wachsen und investieren; um das zu bewältigen, müssen wir uns hoch verschulden, ja, uns im Kreise drehen, damit die Verbraucher billige Lebensmittel einkaufen und sich dadurch mehr Konsum und Freizeit leisten können. Zukunftsbetriebe sind wir trotzdem nicht.

All dies schreckt unsere Kinder davor ab, den Beruf des Landwirts oder der Bäuerin zu erlernen. Ebenso denken die meisten anderen Kinder von Bauernfamilien. Sie schämen sich sogar, dass sie Bauernkinder sind und trauen sich oft nicht, das öffentlich zu sagen. Auch ich stelle mir heute schon ab und zu die Frage, warum ich Bäuerin geworden bin. Einen anderen Beruf könnte ich mir jetzt auch vorstellen. Und vieles wäre einfacher für mich.

Mit Wehmut denke ich an den Beruf der Bäuerin, wie wichtig und geschätzt er einmal war. Manchmal frage ich mich: Werden vielleicht alle unsere Betriebe hier einmal Streichelzoos sein oder Bauernhof- und Dorfmuseen?

Frieden im Stall

„Vielleicht ist es das Bild von Weihnachten, die Geburt des Kindes im Stall, das die Hoffnung und den Frieden in die Welt bringen sollte, an das ich mich bei der Geburt eines Kalbes immer wieder erinnere."

Manchmal, wenn ich an der Stalltüre stehe und so über den Hof blicke, habe ich das Gefühl, die Zeit sei stehen geblieben. Vieles ist wie es immer war. Die alten, hohen Eichen am Hoftor rahmen das Bild der dahinter liegenden Wiese ein, wie sie es schon taten, als mein Großvater, vielleicht sogar mein Urgroßvater, hier an der Türe stand. Die Blätter zeigen, dass wieder mal ein Jahr weit fortgeschritten ist. Im Licht der Abendsonne leuchten sie fast glutrot, so wie sie es schon unzählige Male taten, um dann langsam zu Boden zu schweben, und im Frühjahr schlagen neue Blätter wieder hellgrün und frisch am Baum aus.

Und doch hat sich sehr vieles geändert. Damals in meiner Kindheit habe ich hier mit meinen drei älteren Schwestern im Hof gespielt, jede von uns hatte ihre Aufgaben. Reihum waren wir dran, um hinten im Stall das Stroh von der Tenne zu werfen, für die Kühe das Futter in den Trögen zu verteilen. In der Zwischenzeit bin ich als einzige hier übrig geblieben. Meine drei älteren Schwestern leben schon lange in größeren Städten. Als staatlich geprüfte Landwirtin habe ich vor fünf

Jahren mit meinen Eltern eine GbR, eine Gesellschaft des bürgerlichen Rechts, gegründet und wir bewirtschaften gemeinsam einen Milchviehbetrieb.

Schon als Kind kannte ich alle unsere Kühe mit Namen und habe sehr gerne im Stall mitgeholfen. Es war immer ein ganz besonderer Tag, wenn die Kühe nach dem Winter das erste Mal auf die Weide gelassen wurden. Meine Eltern mussten mir immer versprechen, damit so lange zu warten, bis ich aus der Schule zurück war. Den Kühen war ihre Freude über ihre Freiheit nach einem Winter im Anbindestall anzusehen. Mit ausgelassenen Sprüngen stürmten sie auf die Weide, als ob sie ihre vier Beine gerade erst entdeckt hätten. Die Freude der Tiere war die eine Seite, die Zusammenarbeit mit meinem Vater eine andere. Es war sehr schwer, ihm etwas recht zu machen. Er ist sehr penibel und genau, alles sollte so gemacht werden, wie es schon immer gemacht wurde. Egal was ich auch tat – irgendetwas war immer verkehrt. Einmal sollte ich im Hof einen Anhänger mit Hafer abladen. Meine Aufgabe bestand darin, die Entladeluke so einzustellen, dass der Trichter des Getreidegebläses weder leer lief noch überlief. Vermutlich habe ich mich nur einen kurzen Moment ablenken lassen und schon war ein halber Zentner Hafer auf den Boden gerieselt. Mein Vater hat gebrüllt, als ob ich den ganzen Anhänger abgekippt hätte. Ich empfand dies als völlig unangemessen und fühlte mich wie so oft ungerecht behandelt. Jeden Tag wollte ich mir das jedenfalls nicht antun. Deshalb konnte ich mir nach meinem Realschulabschluss eine landwirtschaftliche Ausbildung nicht vorstellen. Lieber ging ich weiter zur Schule und machte mein Abitur.

Ich hatte nie das Gefühl, dass mein Vater von mir erwartete, den Hof weiterzuführen. Im Gegenteil, angesichts des Preiseinbruchs bei allen landwirtschaftlichen Erzeugnissen und dem damit erforderlichen „Wachsen oder Weichen" wurde seine Stimmung immer schlechter und er riet mir eher von der Landwirtschaft ab. Außerdem hatte es ihn wohl immer schon sehr verunsichert, vier Töchter zu haben und keinen männlichen Hofnachfolger. Immer wieder bekamen wir das zu hören. Eine Frau als Landwirtin konnte er sich nicht vorstellen. Wenn mir die Landwirtschaft Freude bereite, so solle ich lieber eine hauswirtschaftliche Ausbildung machen und einen Bauern heiraten. Das wiederum konnte ich mir nicht vorstellen, unseren Hof verlassen, um irgendwo einzuheiraten? – Nein, ich wollte hier leben und arbeiten und unseren Hof bewirtschaften. Meine Mutter hatte wohl immer die Hoffnung, dass ich zu Hause bliebe, nachdem meine Schwestern eine nach der anderen den Hof für ein Studium verlassen hatten. Als Jugendliche fand ich diese unausgesprochene Erwartung manchmal belastend. Sie selbst hatte mit sechsundzwanzig Jahren hier eingeheiratet. Die Schwiegermutter und deren Mutter lebten ebenfalls noch auf dem Hof. Somit versammelten sich nach der Geburt der Kinder vier Generationen unter einem Dach – ohne getrennte Bereiche. Das wäre heute unvorstellbar und ging auch schon damals nicht ohne Spannungen ab. Ich habe noch immer das Bild vor mir, wie ich als Kind einmal ins Zimmer kam und meine Mutter weinend am Tisch saß. Obwohl meine Mutter nie darüber geredet und auch nie geklagt hat, habe ich als Kind genau gespürt, dass es mit Oma zu tun hatte. Viele Bemerkungen und Zwischentöne sind mir noch im Gedächtnis und vielleicht hat dies dazu geführt, dass ich mir ein Einheiraten nicht vorstellen konnte.

Nach dem Abitur beschloss ich dann endgültig, eine landwirtschaftliche Ausbildung zu machen. In den folgenden zwei Lehrjahren in verschiedenen Ausbildungsbetrieben merkte ich immer mehr, dass ich meinen Traumberuf gefunden hatte. Die Arbeit draußen an der frischen Luft mit dem Wechsel der Jahreszeiten und den unterschiedlichen Aufgaben, die Betreuung und Pflege der Tiere – all das bereitete mir sehr viel Spaß. Und vor allem kam eine völlig neue und wichtige Erfahrung dazu. In den Ausbildungsbetrieben durfte ich plötzlich alle Arbeiten selbstständig ausführen und zu meiner Überraschung konnte ich es sogar.

Mit diesem starken Selbstbewusstsein ging ich nach dem Fachschulbesuch zurück in den elterlichen Betrieb. Hier erwartete mich eine schwere Zeit. Ich war nun den ganzen Tag zu Hause und musste mich mit meinem Vater arrangieren – und er sich mit mir. Während die Genauigkeit, mit der er Arbeiten ausführte und die er auch von anderen forderte, manchmal kaum zu ertragen war, konnte ich auch schon mal fünfe gerade sein lassen. Reibereien waren an der Tagesordnung. Es war für uns beide schwierig. Und nicht nur einmal wollte ich aufhören und mir einen Job suchen.

Ich bin mir gar nicht so sicher, ob mein Vater aus freien Stücken Bauer geworden ist, ich vermute viel eher, dass für ihn als den einzigen Sohn des Hofes nichts anderes in Frage kam. Ende der dreißiger Jahre geboren, gehört er zu der Generation von Bauern, die eine rasante Entwicklung der Landwirtschaft miterlebt haben. Während er selbst noch mit Pferden auf dem Acker arbeitete und damals noch Knechte und Mägde auf dem Hof waren, werden heute die Betriebe, die auch viel größer sind, mit sehr vielen Maschinen und nur noch wenigen Menschen bewirtschaftet. In der Ausbildung kommt das Wort Bauer nur noch als veralteter Begriff vor, stattdessen ist heute die Rede von Agrarunternehmern.

Ich selbst fühle mich als Bäuerin, die, wie das Wort sagt, ihr Land bebauen und bewahren will. Dies ist etwas anderes, als ein Unternehmen zu managen. Ein Lehrer sagte mir einmal: „Leute wie du sind selten wirtschaftlich erfolgreich." Vielleicht ist da was Wahres dran. Es mag sein, dass man mit einer Einstellung, die auch das Wohlbefinden der anderen im Auge hat, in der Wirtschaft nicht sehr weit kommt. Aber ich bin davon überzeugt, dass andere Gesetze gelten, wenn es um Tiere und Natur geht. Und ich behaupte, dass ich eben durch meine Einstellung und Beziehung zu den Tieren wirtschaftlich erfolgreich bin.

Vor vier Jahren haben wir, nach meinen Vorstellungen, einen neuen Boxenlaufstall für die Kühe gebaut. Der Stall erfüllt die Richtlinien der artgerechten Tierhaltung. Die Kühe haben mehr Platz und liegen im Stroh. In diesem Jahr wird der Stall erweitert, so dass jetzt auch das weibliche Jungvieh eingestreute Liegeboxen zur Verfügung hat.

Wenn ich durch den Stall gehe und sehe, dass es den Tieren gut geht, bin ich zufrieden. Die Ruhe, wenn die Kühe an ihren Trögen stehen und fressen, erfüllt mich mit Harmonie. Letztlich sehe ich es als meine Aufgabe an, für gutes Futter zu sorgen und den Tieren eine Umgebung zu bieten, in der sie sich wohl fühlen.

Ich habe neulich mal in einem Artikel den Ausdruck „Frieden im Stall" gelesen. Ich weiß genau, was damit gemeint ist. Vielleicht ist es das Bild von Weihnachten, die Geburt des Kindes im Stall, das die Hoffnung und den Frieden in die Welt bringen sollte, an das ich mich bei der Geburt eines Kalbes immer wieder erinnere. Setzt nicht auch die Geburt eines Kalbes Zeichen, dass dies alles einen Sinn hat, trotz aller Agrarpolitik, die einen das Gegenteil lehren möchte? Dass es trotz Überschuss-Produktion in der EU einen Sinn hat, gerade hier auf diesem Hof gesunde Lebensmittel zu erzeugen und den Boden fruchtbar zu erhalten für die nachfolgenden Generationen.

Es macht mich manchmal wütend und mutlos zugleich, wenn ich sehe, wie sehr ich in Zusammenhänge eingebunden bin, die ich so nicht will. Wenn ich hier mit Mühe und im Glauben, etwas Sinnvolles zu tun, Rinder aufziehe und dann erfahre, wie mit europäischem Rindfleisch die Preise der Rinderzüchter im Sahel unterboten werden. Ebenso jagt mir die Einführung der Gentechnik einen Schrecken ein. Ein letzter kleiner Versuch meinen Protest dagegenzusetzen wird mich voraussichtlich teuer zu stehen kommen. Wie einige andere Landwirte auch, bin ich der von den Nachbaugesetzen geforderten Nachweispflicht nicht gefolgt und habe die Auskunft darüber verweigert, von welcher Sorte Getreide ich welche Menge auf welchem Acker ausgesät habe. Ich bin davon überzeugt, dass mit diesen Lizenzschutzgesetzen die Türen für die Gentechnik in der Landwirtschaft geöffnet werden sollen.

Vermutlich hat diese Aktion außer einem Strafverfahren nichts gebracht. Täglich gehe ich mit Bangen zum Briefkasten, in der Angst, schon wieder Post von Anwälten oder Gerichten vorzufinden. Genau genommen habe ich nun das Gegenteil von dem erreicht, was ich wollte. Denn eigentlich will ich einfach nur in Ruhe gelassen werden, ich möchte meinen Betrieb bewirtschaften, so wie ich es mit meinem Gewissen und mit meinem Verständnis vom Umgang mit der Schöpfung verantworten kann.

Während ich hier so sitze und das alles schreibe, finde ich trotz alledem, dass für mich das Schöne an meinem Beruf immer noch überwiegt. Ich denke, dass ich im Leben ziemliches Glück hatte und dass ich auch glücklich bin. Ich kenne niemanden, mit dem ich ernsthaft tauschen möchte.

Das heilt schon wieder

*„Ein Arzt war so schnell nicht
erreichbar. Einmal in der Woche
kam ein Landarzt ins Dorf für Notfälle.
Es gab bei uns kein Telefon und auch
kein Auto."*

Als älteste von fünf Bauernkindern geboren zu sein, bedeutete von alters her ein Vorrecht, verbunden mit dem Respekt der Jüngeren, aber auch vielen Verpflichtungen ihnen gegenüber. Dieses Ältesten-Vorrecht hat sich verflüchtigt und es blieben nur noch die Pflichten.

Früher ging der Hof automatisch an den erstgeborenen Sohn über. Ich bin Tochter, daher traf dieses Vorrecht auf mich nicht ohne weiteres zu. Dennoch konnte ich kurzzeitig Vergünstigungen genießen, zum Beispiel bei der Essensausteilung oder auch beim Auswählen unter den Mitbringseln, die Opa dabei hatte, wenn er von einer seiner seltenen Reisen zurückkam. Wenngleich, die dazugehörigen Pflichten wogen mehr.

Die kleineren Geschwister wurden immer von den älteren Kindern betreut, die, obwohl sie selbst noch Kinder waren, dadurch kaum Zeit zum Spielen hatten, denn der Tag war angefüllt mit Babysitten, Küchendienst und Feldarbeit. Ich habe bis heute Nachholbedarf beim Spielen. Als reife Erwachsene baue ich noch gerne Sandburgen oder spiele mit dem weich gewordenen Wachs einer Kerze, das ich genießerisch forme. Durch die viele Feldarbeit nach der Schule bis spätabends bekam ich jedoch eine gute Portion Ausdauer und Abhärtung mit. Ebenso möchte ich die Verbundenheit mit der Natur nicht missen: Am Bach sitzen bei Vergissmeinnicht und Blutströpfchen, während Opa mit der Sense die Wiese mäht, das sind mir die schönsten Kindheitserinnerungen. Es wurde hart und zäh gearbeitet, aber es gab auch Freizeit; am späten Samstagnachmittag wurde die Kapellenglocke geläutet und der Feierabend verkündet bis Montag früh. Sonntag war Ruhetag für den Vater: Beim Frühschoppen vor der Messe trank er in der Gastwirtschaft ein Bier. Nicht so für die Mutter, die samstags und sonntags zusätzlich zu ihren gewohnten Arbeiten besonders viel in der Küche zu tun hatte. Vor allem dann, wenn viele Tagelöhner da waren für die Kartoffel- oder Hopfenernte, mussten Berge von Essen gekocht werden.

Alleine ausgehen durfte meine Mutter nicht – sei es zum Faschingsball einmal im Jahr oder zur Christbaumversteigerung, wo einer aus dem Dorf Ziehharmonika spielte und wo getanzt wurde. Wollte mein Vater nicht mitgehen, blieb ihr nichts anderes übrig, als bis zum nächsten Jahr zu warten.

Ein Bauernhof ist manchmal ein Einödhof, meistens aber liegt er in einem kleinen Dorf. Das Dorfleben schränkt sehr ein. Ein Auge wird auf alles und jeden geworfen. Was ich nicht darf, darf auch der andere nicht. Aus dieser Enge bin ich bald in die Stadt geflüchtet, jedoch nicht in die Großstadt.

Heute lebe ich in einer mittelgroßen Stadt, wo ich alle Möglichkeiten und Freiheiten habe, die ich brauche, sei es im musischen oder Freizeitbereich, im beruflichen oder familiären Leben. Ich lasse mich nicht überfluten, nutze aber die Möglichkeiten, die ich habe.

Auch bekam ich in meiner Kindheit eine große Portion Unempfindlichkeit und Anspruchslosigkeit mit, was mir in meinem späteren Leben immer wieder mal zugute kam. Bei der Kartoffelernte auf dem Feld waren die Hände voller Erde – genauso wurde die Brotzeitsemmel verspeist, denn es war ja kein Wasser da zum Händewaschen. War jemand krank oder hatte sich beim Schlittschuhlaufen auf der überfluteten und zugefrorenen Wiese, wo immer wieder Grasbüschel herausstanden, den Fuß verstaucht oder gar eine Sehne angerissen, hieß es: „Das heilt schon wieder." Ein Arzt war so schnell nicht erreichbar. Einmal in der Woche kam ein Landarzt ins Dorf für Notfälle. Es gab bei uns kein Telefon und auch kein Auto.

„Morgen früh werde ich nicht mehr wach und bin gestorben", so dachte ich einmal angstvoll als Achtjährige, als ich wohl durch einen rostigen Nagel eine Blutvergiftung hatte. Überstanden und abgehärtet. Es hätte auch anders kommen können.

War mal Muttertag oder ein Geburtstag, so war Erfindungsreichtum angesagt. Man konnte nicht einfach in ein Geschäft gehen und was kaufen oder Bastelutensilien besorgen. Aus dem, was da war, entstanden jedoch oft die ideenreichsten Dinge. Dass ich mir zu helfen weiß, ist heute für mich noch manchmal brauchbar, wenn ich in Urlaub bin in einem Land, wo es nicht alles in Hülle und Fülle gibt wie bei uns.

Oft genieße ich die Einfachheit und Unkompliziertheit. Denn zum Leben braucht man sehr wenige Dinge.

Als ich jünger war, dachte ich, dass man viel von der Welt sehen muss, aber ich bin zu dem Schluss gekommen, dass es nirgends so schön und natürlich ist wie hier in unserem herrlichen Bayern mit seinen Seen, Bergen, Wäldern und Wiesen – üppig grün, ein blühendes Land voller Fruchtbarkeit.

Nirgendwo anders möchte ich auf Dauer leben.

GLOSSAR

Kreiselegge: Eine zapfwellenbetriebene Egge. Durch die mit hoher Geschwindigkeit kreiselnden Zinken wird die Erde vor dem Sävorgang fein zerkrümelt.

Grubbern: Ein Grubber ist ein Bodenbearbeitungsgerät mit langen und starken Zinken. Der Grubber lockert den Boden ohne ihn zu wenden.

abdrehen, Abdrehformel: Die gewünschte Saatgutmenge wird nach Tabellenangaben am Getriebe der Sämaschine eingestellt. Mit dem Abdrehen der Sämaschine wird die tatsächliche Saatmenge überprüft und mit Hilfe der Abdrehformel auf 1 Hektar hochgerechnet.

Schlag: Acker

Vorgewende: Ackerrand, auf dem gewendet wird.

Schwaden: Rechen des auf der gesamten Fläche gleichmäßig verteilt liegenden Heus in Reihen, um es mit dem Ladewagen aufladen zu können.

Silage, silieren: Gras wird gemäht, angetrocknet, gehäckselt und unter Luftabschluss haltbar gemacht.

Stupfen: Einzelkornsaat von Hand einbringen.

Kolostralmilch: Milch, die eine Kuh nach der Geburt eines Kalbes gibt. Sie ist zur Versorgung des Kalbes besonders nährstoffreich und deshalb gelblich und dickflüssig.

Landwirtschaftsverlag GmbH, 48084 Münster
© Landwirtschaftsverlag GmbH, Münster-Hiltrup, 2003
2. Auflage

Gestaltung: high standArt, Münster
Lektorat: Bärbel Hoffmann, Mannheim
Gesamtherstellung: LV Druck im Landwirtschaftsverlag GmbH
Printed in Germany

ISBN 3-7843-3221-8